Шелли Фэн

KU-558-935

Заменит ли нас искусственный интеллект?

Введение в XXI век

Более 160 иллюстраций

A+A

Редактор серии:
Мэтью Тейлор

Содержание

Заменит ли нас искусственный интеллект?

Prod No.	99036
Date	04.04.19
Supplier	DZS Grafik doo

T.P.S	229mm x 152mm portrait
Extent	144pp in 4/4 (CMYK)
Papers INT	120gsm GalerieArt Natural Woodfree
Cover	4/1 (outter PMS 804C Orange (NEON), 801C Blue, spot Black, Reflex Blue C / inner PMS Reflex Blue U) + varnish on 300gsm C1S
Finishing	matt lam + spot UV on front cover, 140mm flap back cover only
Binding	Limp bound, section sewn in 16pp, square back, front cover cut flush, back cover flap flush with book block, cover drawn on with extended back flap folded in.

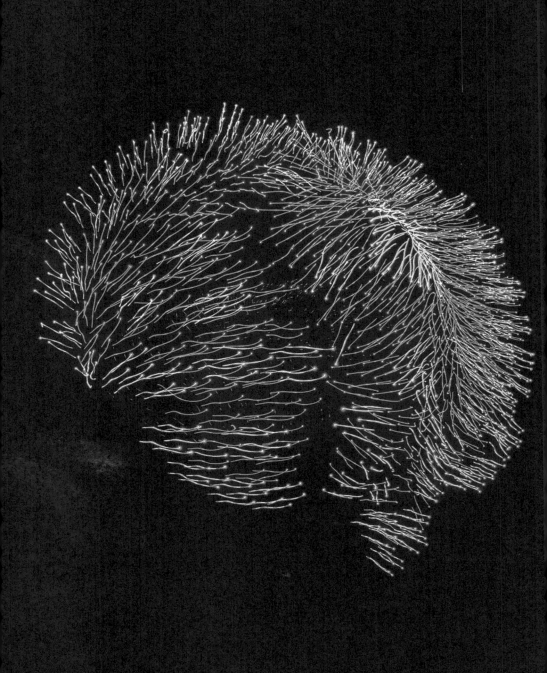

Введение

A

Что первым делом приходит вам на ум, когда вы слышите термин «искусственный интеллект» (ИИ)? Роботы-убийцы, готовые поработить мир и положить конец всему человечеству? Или аморфная — но все-таки благосклонная — сила, которая незаметно двигает вперед наше общество?

ИИ — это наиболее человечная из технологий. Она начиналась с идеи создания машин, которые подражали бы людям и развивались путем копирования мыслительного процесса человека, изучения и воспроизведения его мозга. Сегодня многие опасаются, что ИИ станет более разумным, чем сами люди.

За прошедшие 60 лет ИИ, безусловно, прошел долгий путь. Когда-то всего лишь клише из научной фантастики, сегодня ИИ — это колоссальная движущая сила устройств, которыми мы пользуемся ежедневно. Это личный советчик: Netflix и Amazon используют самообучаемое программное обеспечение, чтобы отслеживать наши вкусы, желания и потребности. ИИ — это еще и онлайн-зрение: система компьютерного зрения Facebook автоматически распознает ваше лицо на фотографиях, даже если оно в тени или расположено под неудобным для идентификации углом. Компьютерное проектирование помогает создавать всё более разрастающиеся миры в видеоиграх, обеспечивая этой отрасли взрывные темпы роста. А благодаря обработке естественного языка Google легко понимает нас, когда мы вводим поисковый запрос с опечатками, и выдает релевантные результаты.

Оглянитесь: умные устройства — повсюду. Персональные помощники Alexa и Google Home тихо сидят дома и ждут ваших указаний. Автомобили и грузовики, управляемые ИИ, уже разъезжают по нашим дорогам, а индустрия автономного транспорта готова полностью пересмотреть подход к перевозкам и логистике. Автоматизированные алгоритмы биржевой торговли изменили правила игры на финансовых рынках, покупая и продавая акции со скоростью, совершенно недостижимой для брокеров. Фактически ИИ становится настолько вездесущим, что часто мы не принимаем все эти автоматизированные системы за ИИ. В среде профессионалов ИИ шутят: как только машина может справиться с задачей, которую раньше мог выполнить только человек, решение этой задачи тут же перестает считаться признаком интеллекта. По словам исследователя Патрика Уинстона (США), «став менее заметным, ИИ стал играть более важную роль».

A   IllumiRoom от Microsoft — впечатляющее устройство дополненной реальности, которое использует сенсор Kinect и проектор, чтобы объединить виртуальные сцены на телевизоре с физическим миром гостиной.

B   Чтобы безопасно перемещаться по перегруженным дорогам, беспилотные автомобили собирают данные с помощью различных датчиков. Сложные алгоритмы компьютерного зрения обрабатывают эти данные, чтобы распознать каждый объект и его местоположение на дороге.

Alexa. Виртуальный помощник от Amazon. Общается с пользователями человеческим голосом, была интегрирована в устройства, которые помогают пользователям воспроизводить музыку или управлять умными домашними гаджетами, например, регулирующими освещение или температуру.

И все-таки за этой цифровой утопией стоит мрачная правда: как у всякой технологии, у ИИ есть и опасная сторона — применение в дурных целях.

Отрезвляющий пример: утверждается, что ИИ сыграл роль в дестабилизации президентских выборов в США 2016 года, когда технологии, основанные на ИИ, применялись для микротаргетирования конкретных избирателей и манипулирования их мнением. Компания Cambridge Analytica, занимающаяся анализом данных, получила персональные данные более чем 87 миллионов пользователей Facebook и запустила масштабную кампанию, нацеленную на поддающихся внушению избирателей: при помощи ИИ прогнозировался тип сообщений, к которому они были восприимчивы. В схожей ситуации множество ботов наводнили различные социальные сети перед всеобщими выборами в Великобритании в 2017 году, распространяя ложную информацию и подрывая отлаженную работу демократических механизмов.

A

Cambridge Analytica. Британская политическая консалтинговая фирма, которая собирала и анализировала данные для использования в политических кампаниях. Среди ее клиентов Дональд Трамп и Leave.EU. Фирма подала заявление о неплатежеспособности и 1 мая 2018 года прекратила свою деятельность.

Бот. Компьютерная программа, которая позволяет в автоматическом режиме выполнять структурированные и повторяющиеся задачи. Боты также могут общаться с другими пользователями через социальные медиаплатформы.

Сфабрикованные новости. В разговорной речи также употребляется выражение «фейковые новости». Разновидность пропаганды, создаваемая для распространения дезинформации, теорий заговора и других недостоверных материалов через социальные сети и традиционные СМИ. Сфабрикованные новости зачастую сенсационны и используются в политических целях.

Baidu. Ведущая интернет-компания Китая и одноименная поисковая система. Продукты и сервисы Baidu подобны тем, что предлагает Google.

Duplex. Элемент системы цифровых помощников Google. Duplex понимает сложные предложения и быструю речь и разговаривает не механическим, а естественно звучащим человеческим голосом.

A Марк Цукерберг дает показания во время скандала вокруг Cambridge Analytica в 2018 году. В ходе дискуссии был поднят вопрос об ответственности социальных сетей за сохранение конфиденциальности пользователей.

B/C При наличии достаточного количества изображений определенного лица технология Deepfake способна воссоздать на видео любое лицо и без каких-либо заметных следов присоединить его к чужому телу.

Очевидно, что этот алгоритм может быть легко использован для злоупотреблений. Лицо Дональда Трампа было использовано уже в нескольких поддельных видео.

Опасения по поводу сфабрикованных новостей, конфиденциальности и безопасности не исчезнут: поскольку ИИ-системы становятся всё изощренней, будет всё больше злоупотреблений, если эта область так и останется никем не контролируемой и не регулируемой. В начале 2018 года китайский цифровой гигант Baidu объявил о создании ИИ, способного в общих чертах воспроизвести любой голос, взяв за образец речь длиной в одну минуту. Deepfake — технология с открытым исходным кодом, которая без заметных глазу следов подставляет лицо одного человека на видео к телу другого, — подняла целую волну негодования, когда ее использовали для создания фейкового порно с лицами известных актрис. Система Google Duplex, продемонстрированная в середине 2018 года, разговаривает по телефону голосом, пугающе похожим на человеческий. Все эти примеры — всего лишь верхушка айсберга. Только подумайте: если технологии ИИ будут тайно разрабатываться и успешно применяться, злоупотребления могут обнаружиться только спустя годы, а то и никогда.

A

Многие считают, что избежать этих опасностей можно, пусть
и ценой невероятных усилий. Первый шаг к решению проблемы — осведомленность. Она может достигаться с помощью
правительственного надзора или же самоконтроля исследователей ИИ, работающих в открытой прозрачной среде.

> Больше опасений вызывают проблемы,
> которые невозможно предвидеть в точно-
> сти, — те, что связаны с развитием самого
> искусственного интеллекта, в определен-
> ных областях уже превосходящего чело-
> веческие способности.

Возможно, вы уже читали что-то подобное в новостях.
В 2011 году суперкомпьютер IBM Watson поразил индустрию победой в телевикторине Jeopardy! (в России выхо-
дит под названием «Своя игра». — *Примеч. пер.*) над Кеном
Дженнингсом и Брэдом Раттером, двумя лучшими игроками
за многолетнюю историю шоу. Совсем недавно программа
AlphaGo от DeepMind стала первой компьютерной программой, которая одолела в матче по го одного из сильнейших игроков в истории этой игры. Го — древняя и очень
сложная игра, тонкости которой долгое время считались
неподвластными простому перебору вариантов. Затем

компания удивила живых игроков, продемонстрировав обучающуюся только на собственном опыте систему, которая изобретала новые стратегии игры.

Область применения ИИ не ограничивается всем известными играми. Системы искусственного интеллекта сегодня легко превосходят рентгенологов в диагностике рака и гораздо эффективнее врачей выявляют различные сердечно-сосудистые заболевания, пневмонию и целый ряд других недугов. В транспортной сфере, несмотря на несколько громких аварий и смертей, беспилотные автомобили демонстрируют отличные результаты с точки зрения безопасности вождения. Эти успехи заставляют задаться вопросом: если ИИ может взять на себя роль водителей, врачей и других специалистов как умственного, так и физического труда, а список таких профессий продолжает расти, что станет с людьми? Не являемся ли мы свидетелями начала мира, в котором доминирует ИИ, а люди больше не нужны?

Watson. Суперкомпьютер, который применяет ИИ в различных сферах деятельности. В частности, в медицине, образовании, для оказания помощи на дорогах.

DeepMind. Мировой лидер в области исследований ИИ и его приложений. В 2016 году спроектировал мощный ИИ под названием AlphaGo, который победил одного из сильнейших игроков в истории го Ли Седоля.

Перебор вариантов. Общий метод решения задач. Систематическое перечисление вариантов решений и проверка каждого варианта до тех пор, пока не будет найден подходящий результат.

A   AlphaGo своей победой над одним из сильнейших игроков в истории го, обладателем 18 международных титулов Ли Седолем продемонстрировала преимущества глубокого обучения. ИИ проанализировал тысячи игр, чтобы «интуитивно» выстроить на доске победную комбинацию.

B   Челюстная кость, воспроизведенная с помощью компьютерной томографии (КТ). ИИ переводит изображения в 3D и визуализирует данные, которые позволяют врачам диагностировать и отслеживать заболевания.

C   3D-визуализация результатов КТ женского тела, сделанная с помощью OsiriX. Эта программа для медицинской визуализации генерирует цветные 3D-реконструкции из КТ-снимков. Хирурги могут управлять этой визуализацией, плавно изменяя вид от более поверхностных структур к более глубоким.

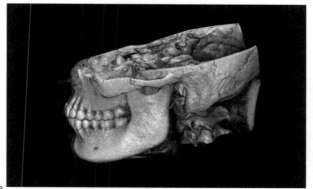
B

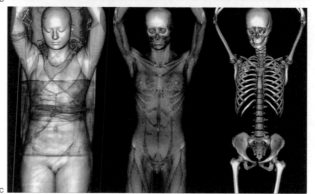
C

Идея «технологической сингулярности» вызывает серьезные споры. И речь не о голливудских историях о «роботах-убийцах» — многие из сегодняшних выдающихся теоретиков предупреждали, что настанет время, когда ИИ превзойдет человеческий разум и, следовательно, станет для людей угрозой. Как известно, Илон Маск (род. 1971), американский серийный предприниматель и основатель Tesla и SpaceX, называет ИИ «величайшей угрозой человечеству» и сравнивает разработку ИИ с «вызовом демона». Покойный британский физик Стивен Хокинг (1942–2018) предупреждал, что создание искусственного интеллекта может стать «худшим событием в истории нашей цивилизации», а британский изобретатель Клайв Синклер (род. 1940) считает, что машины, которые могут сравниться с людьми по уровню интеллекта или даже превзойти их, обрекут человечество на гибель.

Некоторые эксперты не согласны с этим мнением. Так, основатель Facebook Марк Цукерберг (род. 1984) находится в противоположном лагере. Он признает, что технологии могут использоваться как во благо, так и во вред и нужно учитывать это при разработке, но не понимает алармистов, которые пытаются замедлить развитие. Исследовательская группа, работающая на базе Стэнфордского университета над проектом «Столетнее исследование искусственного интеллекта», не обнаружила в развитии ИИ признаков непосредственной угрозы человечеству. Они подчеркивают, что значительные достижения современного ИИ обеспечиваются высокой степенью

A   София — гуманоидный робот, способный вести диалог на естественном языке и изображать эмоции, на конференции RISE Technology в Гонконге в 2018 году. София использует алгоритмы компьютерного зрения, распознаёт эмоции людей, имитирует человеческую мимику и жесты.
B/C Пилоты могут заранее вводить данные о маршруте полета в системы автопилота. Технология автопилота не управляет самолетом на земле, обычно она используется, когда пассажирские самолеты находятся в воздухе. Концепты беспилотных самолетов Boeing — примеры автономной авиации, демонстрирующие стремление к созданию реактивных лайнеров, способных летать без участия человека.

A

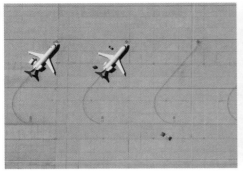

в   с

специализации под конкретную задачу. Нет особых оснований полагать, что, появится новый вид разумных существ — роботы со сверхчеловеческими способностями. Участники исследовательской группы пишут о том, что отношения людей и машин становятся всё более многогранными, гибкими и персонализованными по мере того, как ИИ-системы учатся приспосабливаться к целям и особенностям конкретных людей.

Заменит ли нас ИИ? Чтобы ответить на этот вопрос, мы сначала должны понять, что такое ИИ, как возникла эта область и как она сегодня меняет нашу жизнь и общество. Нам также необходимо понять те ограничения и проблемы, с которыми сегодня сталкиваются системы ИИ. Только тогда мы сможем задуматься:

Мы обречены на противостояние с ИИ или нас ждет совместное будущее?

Технологическая сингулярность. Гипотеза о том, что универсальный искусственный интеллект (Artificial General Intelligence), достигший человеческого или сверхчеловеческого уровня, вызовет резкий скачок в развитии технологий, последствия которого для человечества предсказать невозможно.

Tesla. Американская компания, специализируется на электромобилях, программном обеспечении для автономного вождения и возобновляемых источниках энергии.

SpaceX. Частная американская аэрокосмическая компания, разрабатывает перспективные многоразовые ракеты и космические аппараты. Также известна как Space Exploration Technologies Corp.

«Столетнее исследование искусственного интеллекта». Проект Стэнфордского университета, также известный как ИИ100, в рамках которого ученые планируют изучать и прогнозировать воздействие ИИ на человечество в течение следующих 100 лет.

1. Этапы развития ИИ

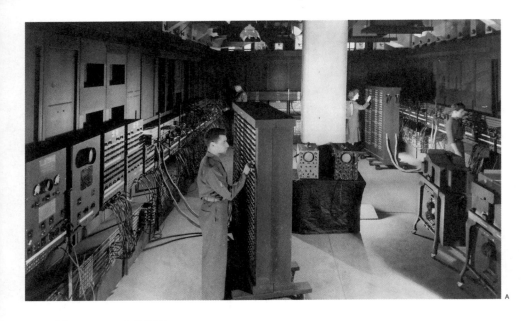

A

Летом 1956 года десять ученых, разделявших интерес к машинному интеллекту, собрались в Дартмутском колледже в Нью-Гемпшире на шестинедельный семинар. Американский профессор математики Джон Маккарти (1927–2011) сформулировал основную цель семинара — исследование способов, с помощью которых машины могут моделировать аспекты человеческого интеллекта: способность чувствовать, рассуждать, принимать решения и предсказывать будущее. Его гипотеза заключалось в том, что человеческие мысли и рассуждения можно описать с помощью математики, и поэтому воспоминания, идеи и логическое мышление могут быть выражены алгоритмами так же, как правила гравитации можно выразить краткими уравнениями.

В заявке, поданной в фонд Рокфеллера, который финансировал семинар, отражены грандиозные планы группы и небывалая уверенность в успехе: «…исследование основано на предположении, что принципиально возможно описать любой аспект обучения, как и любую другую особенность интеллекта, и описать настолько точно, что машина сможет их смоделировать». В настоящее время считается, что Дартмутский семинар способствовал зарождению искусственного интеллекта. На нем была заложена общая методика исследования ИИ и создано профессиональное сообщество. Многие участники семинара, в том числе Марвин Мински, Клод Шеннон, Натаниэль Рочестер и другие, возглавили важные направления исследований ИИ, которые продолжаются и сегодня.

Идея о том, что знание можно выразить с помощью логики, восходит к IV веку до н. э. Античный философ Аристотель изобрел силлогистическую логику — форму логической дедукции. Согласно этой системе порядок вывода умозаключения из набора предпосылок — то есть зачастую получение нового знания — аналогичен процессу решения математического уравнения, так как и там и там мы имеем четко определенное пошаговое действие.

Алгоритм. В информатике алгоритмами называют однозначные наборы инструкций или правил, по которым совершаются вычисления и другие операции по решению задач.

Силлогистическая логика. Формальная система рассуждений, в которой на основе ряда существующих предпосылок делаются логические выводы. Эти предпосылки могут быть либо истинными, либо ложными.

A ENIAC, который в 1946 году начали использовать в армии США, является одним из первых электронных компьютеров общего назначения. С помощью поворотных рукояток с десятью позициями в него вводили таблицы чисел, которые использовали при вычислениях.

B В 1966 году Джон Маккарти использовал программу «Коток-Маккарти» для участия в серии из четырех компьютерных шахматных игр против российской программы ИТЭФ. Матч продолжительностью в девять месяцев выиграла программа ИТЭФ.

B

Силлогистическая логика стала ключевым понятием в информатике и ИИ.

В следующие тысячелетия интерес к созданию автоматизированных машин время от времени возвращался. Можно вспомнить печатный станок, движущиеся объекты и часы — первые измерительные приборы. В XVI веке часовщики усовершенствовали свои технологии настолько, что с помощью механических передач начали создавать механических животных, весьма напоминавших настоящих.

Однако основные понятия информатики и ИИ получили развитие только в XVII веке, когда такие философы, как Томас Гоббс (1588–1679) и Рене Декарт (1596–1650), начали разрабатывать гипотезу о том, что животные являются всего лишь сложными машинами. «Левиафан» (1651) Гоббса известен идеей, что мышление имеет механическую, комбинаторную структуру и действует подобно машинам, в которых сочетание различных элементов расширяет их возможности. Примерно в то же время немецкий энциклопедист Готфрид Лейбниц (1646–1716) предположил, что человеческий разум можно свести к чисто механическим расчетам. Лейбниц, будучи убежденным сторонником бинарных систем, предсказал, что для мыслящих машин лучше всего подойдут символы 0 и 1. Поскольку двоичные числа превосходно описывают системы, построенные только на двух значениях, таких как «вкл.» и «выкл.», они без труда могут описывать логические операции, приравнивая «вкл.» к «верно» и «выкл.» к «неверно». Другими словами, двоичные системы идеально подходят для того, чтобы выражать логическое мышление с помощью физических символов.

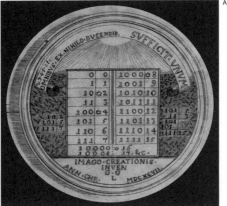

A После изучения двоичной системы исчисления Готфрид Лейбниц разработал оформление медальона, в котором сопоставлял божественное творение всего из ничего с созданием любого числа с помощью нулей и единиц.

B «Очерки к решению проблемы доктрины шансов» (1763) Томаса Байеса были опубликованы посмертно в журнале «Философские труды Королевского общества». Теорема Байеса является важным достижением в изучении логического мышления и широко используется сегодня в научных исследованиях.

XVIII век стал временем расцвета идей, которые способствовали развитию теоретических основ информатики и мыслящих машин. Здесь необходимо упомянуть работу британского математика Томаса Байеса (1702–1761), в которой он сформулировал новый метод расчета вероятности событий. Сегодня теорема Байеса — важный инструмент машинного обучения. С ее помощью прогнозируют вероятность будущих событий на основе прошлого опыта и новых данных, что является важным аспектом обучения.

«Левиафан». Знаменитый трактат о политике. Томас Гоббс в своей работе «Левиафан, или Материя, форма и власть государства церковного и гражданского», или просто «Левиафан», изучает человеческую природу и приходит к выводу, что человеческий разум можно объяснить с материалистической точки зрения, не прибегая к концепции нематериальной души.

Двоичные числа. Числа в базовой двоичной системе исчисления, в которой используются только два символа: 0 и 1. Двоичные числа чаще всего применяют в информатике и цифровой электронике.

Теорема Байеса. Математический метод описания вероятности события. По формуле Байеса можно более точно пересчитать вероятность, беря в расчет как ранее известную информацию, так и данные новых наблюдений.

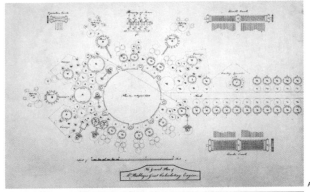

A   Аналитическая машина Чарльза
    Бэббиджа, согласно проекту, со-
    стоит из расположенных в столбцы
    зубчатых передач, которые могут
    выполнять четыре основные опе-
    рации арифметики. Результаты вы-
    числений должны были храниться
    на перфокартах, с этих же перфо-
    карт машина считывала необхо-
    димые программы. К сожалению,
    Бэббидж не дожил до реализации
    своего проекта 1849 года — маши-
    на была забыта, вспомнили о ней
    только в 1937 году, когда обнару-
    жили его неопубликованные тетра-
    ди.
B   На основе оригинальных чертежей
    аналитической машины Бэббиджа
    153 года спустя была построена
    разностная машина № 2. Ее со-
    здавали более 10 лет и заверши-
    ли в 2002-м, эта копия состоит
    из 8000 выполненных вручную
    частей, весит 5 тонн и достигает
    3,3 м (11 футов) в ширине.

Спустя столетие после Байеса другой британский
математик, Джордж Буль (1815–1864), развил идеи
дедуктивного мышления Аристотеля, добавив к ним
математическую основу. Как и Лейбниц, Буль считал,
что человеческое мышление подчиняется законам
и что эти законы можно описать с помощью математики. В своем трактате «Законы мышления» (1854)
Буль показал, что процесс решения числовых уравне-
ний похож на процесс рассуждения и что логику
можно представить через алгебру. Как изобретатель
булевой логики, основы современной цифровой
компьютерной логики, Буль считается одним из осно-
воположников информатики.

В XIX веке также появились первые программируемые машины, в том числе жаккардовый ткацкий станок, запатенто-
ванный Жозефом Мари Жаккаром (1752–1834) в 1804 году.
В 1834 году Чарльз Бэббидж (1791–1871) создал концепцию
программируемой вычислительной машины под названием
«аналитическая машина», которая в теории могла выполнять

любые арифметические вычисления. Несколько лет спустя леди Ада Кинг, графиня Лавлейс (1815–1852), опубликовала серию команд для аналитической машины, позволяющую автоматически выводить числа Бернулли. Такие серии команд теперь называются алгоритмами, из них, в свою очередь, состоит компьютерная программа. Аналитическая машина стала важным шагом на пути развития современных компьютеров.

Вероятно, самый большой вклад в разработку раннего машинного интеллекта внес британский математик Алан Тьюринг (1912–1954). В своей работе «О вычислимых числах применительно к проблеме разрешения» (1936) он описал простое гипотетическое устройство под названием «автоматическая машина», позже получившее известность как машина Тьюринга. Вместе с американским математиком Алонзо Черчем (1903–1995) он вывел тезис Черча—Тьюринга, согласно которому машины Тьюринга теоретически могут вычислять всё, что может быть вычислено с помощью таких простых символов, как числа 0 и 1. Если мысль можно свести к математическим заключениям, то, возможно, из этого следует, что машины обладают способностью к человеческому мышлению.

Булева логика. Раздел математики, в котором категории «истина» и «ложь» обозначаются символами. Вместо сложения, вычитания и других алгебраических операций в булевой логике для построения логических выводов используют обозначения «и», «или» и «не».

Числа Бернулли. Ряд чисел, которые соответствуют набору определенных математических характеристик. Существует формула, по которой можно найти эти числа, первые пять из них: 1, −1/2, 1/6, 0 и −1/30.

Машина Тьюринга. Гипотетическая универсальная вычислительная машина, способная выполнять любые математические действия, если задача дана в виде алгоритма.

Изобретение машин Тьюринга доказало возможность существования мыслящих машин, что стало главной теоретической предпосылкой для создания современных компьютеров.

В конце 1940-х годов, работая в Национальной физической лаборатории в Лондоне, Тьюринг опубликовал первое подробное описание компьютера с хранимой программой. Но непосредственным его вкладом в развитие машинного интеллекта стало основополагающее эссе под названием «Вычислительные машины и разум» (1950). В этом эссе Тьюринг рассматривает вопрос «Могут ли машины думать?» и заявляет, что прежде, чем пытаться найти ответ, надо четко и однозначно сформулировать вопрос. Более того, Тьюринг утверждает, что подробных определений требуют понятия «думать» и «интеллект». Эта опередившая свое время идея до сих пор активно обсуждается в рамках исследования ИИ.

A

A Компьютер Colossus был создан во время Второй мировой войны с целью разгадать шифр Лоренца, которым пользовалось немецкое командование. Colossus считается первым программируемым цифровым электронным компьютером, для выполнения расчетов в нем использовались коммутаторы и более 1700 электронных ламп.

B Pilot ACE, построенный примерно в 1950 году, — один из первых компьютеров общего назначения с хранимой программой. Создан на базе более масштабного компьютера, спроектированного Аланом Тьюрингом.

B

Тьюринг решает определять интеллект с помощью мысленного эксперимента, известного как «игра в имитацию», или тест Тьюринга. Суть его состоит в том, что если тестировщик не может отличить машину от человека после беседы с ними, то машину можно считать разумной. Эксперимент отодвигает на второй план более философские вопросы о природе мысли и человеческого разума и вместо этого сосредотачивает внимание на конечных результатах — наблюдаемом поведении.

По сути, Тьюринг ставил перед собой задачу изучить вычислительные методы, которые используются для моделирования человеческого интеллекта, и получить сведения о человеческом разуме через его имитацию с помощью алгоритмов. Язык является лишь одним из возможных средств для такого эксперимента.

Тест Тьюринга и сегодня имеет важное, пусть и неоднозначное значение для разработки ИИ. Тест до сих пор не прошла ни одна программа.

Компьютер с хранимой программой. Тип компьютера, который может хранить программные инструкции в памяти компьютера. Современные компьютеры — это компьютеры с хранимыми программами.

Некоторые его идеи, высказанные в эссе 1950 года, до сих пор не теряют своей актуальности. Например, Тьюринг считал, что вместо того, чтобы воспроизводить мышление, характерное для полноценного взрослого человека, проще имитировать ум ребенка и обучить его. Он также вывел девять возможных возражений против универсального ИИ, начиная с религиозных аргументов и заканчивая вероятным отрицательным влиянием мыслящих машин и машинного сознания. Его прозорливость удивительна: эти возражения включали все основные аргументы против разработки универсального ИИ, которые выдвигались впоследствии.

A   B   C

Идеи Тьюринга и других новаторов в сфере ИИ в начале 1950-х годов дали толчок к созданию первых электронных компьютеров и элементарных роботов, способных к сенсорному восприятию и автономному действию. Тогда же возникла необходимость объединить разрозненные работы в новую область науки. На этом фоне в 1956 году на Дартмутском семинаре Маккарти ввел термин «искусственный интеллект».

A   Джон Маккарти — один
    из первых исследователей
    Стэнфордской лаборатории
    искусственного интеллекта
    (SAIL).
B   Фил Пети вместе с коллега-
    ми из SAIL Биллом Питтсом
    и Тедом Панофски задол-
    го до Atari создали первую
    коммерческую видеоигру —
    Spacewar.
C   С помощью гидравлического
    манипулятора проверялась
    способность робота реагиро-
    вать на сигналы компьютера,
    который им управляет.
D   Rancho Arm — один из пер-
    вых роботизированных ма-
    нипуляторов, был переделан
    из протеза.
E   DEC PDP-10 — знаменитый
    стэнфордский компью-
    тер с двухпроцессорной
    системой.
F   SAIL играла важную роль
    в разработке роботизиро-
    ванных манипуляторов, в том
    числе такого мощного и бы-
    строго, как «Гидравлическая
    рука».

Тем летом ученые в Дартмуте полностью отдались разработке мыслящих машин — цели, которая немного наивным первооткрывателям казалась в то время легкодостижимой. Так начался первый бум в исследованиях ИИ, который продолжался с середины 1950-х до середины 1970-х годов. Позже Маккарти образно назвал этот период «Глянь, как я умею!», в течение которого новаторы ИИ были заняты главным образом опровержением утверждений скептиков, что машины не могут решать те или иные подвластные человеку задачи.

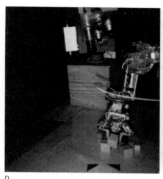

D E F

Такой подход привел к созданию ряда узкоспециализированных программ, которые работали не с реальными, а с модельными задачами. Эти программы служили пусть неполным, но доказательством того, что машины способны не только на числовые расчеты. Например, исследователи ИИ разработали программы, которые могут осуществлять вычисления или решать задачи, основываясь на построении аналогий, что требуется, как правило, в тестах на IQ.

Разработанные в эту эпоху программы поражали обывателя, и исследователи были уверены, что в течение 20 лет можно будет создать полностью разумных роботов.

Модельная задача. В информатике модельные задачи — простые, урезанные версии реальных задач, на которых ученые могут проверять алгоритмы ИИ. Хотя полученные решения нельзя непосредственно использовать в реальном мире, в модельных задачах отражены свойства их более сложных и приближенных к реальности версий.

Несмотря на свою узконаправленность, эти программы дали дорогу некоторым новым технологиям. Программа «Логический теоретик» стала одной из таких удач. При ее разработке команда создала процедуру, получившую название «эвристический поиск», которая позволяла в большинстве случаев находить решения быстрее, но при этом не гарантировала успех.

```
EEEEEEEE L        IIIIIII ZZZZZZZ    AAA
E        L           I       Z      A   A
E        L           I      Z      A     A
EEEEE    L           I     Z       AAAAAAA
E        L           I    Z        A     A
E        L           I   Z         A     A
EEEEEEEE LLLLLLLL IIIIIII ZZZZZ    A     A
```

```
ELIZA > (PLEASE TYPE IN ALL CAPS) WHAT'S YOUR NAME DEAR ?
AMIT
ELIZA > HI. I'M ELIZA. WHAT DO YOU WANT TO TALK ABOUT ?
AMIT > CAN I TALK ABOUT MY PROBLEM ?
ELIZA > SURE... '
AMIT > DUE TO ON GOING EXAMS IN COLLEGE, I HAVE A LOT OF STRESS.
ELIZA > PLEASE RELAX A LITTLE. SLEEP WELL.
AMIT > THANKS FOR YOUR ADVICE.
ELIZA > NO MENTION.
AMIT > BYE
ELIZA > BYE AND KEEP IN TOUCH...
```

A

A Программа ELIZA, созданная Джозефом Вейценбаумом, при взаимодействии с пользователями следовала указаниям, изложенным в программных «скриптах».

B У Шейки, разработанного в Центре искусственного интеллекта SRI, имелась телекамера, датчики столкновения и триангулирующий дальномер для навигации. Всё оборудование было связано с компьютерами, которые помогали планировать и выполнять действия.

Главный вопрос, который стоит перед ИИ, — как наилучшим образом использовать ограниченные вычислительные ресурсы для решения задач в разумные сроки. Поскольку с усложнением задачи время вычисления и энергозатраты резко возрастают, в какой-то момент становится гораздо эффективнее искать приближенные, а не точные решения. Эта продуктивная идея, лежащая в основе эвристического поиска, значительно расширила спектр задач, эффективно решаемых компьютерами.

В начале 1960-х годов Маргарет Мастерман (1910–1986) и ее коллеги из Отдела лингвистических исследований Кембриджа с помощью семантических сетей заложили основы машинного перевода. Ранние работы в области обработки естественного языка привели к созданию очень популярной программы под названием ELIZA. Разработанная в 1965 году в Массачусетском технологическом институте, интерактивная программа подражала настоящему психологу, и ее терапевтические сеансы оказались на удивление затягивающими.

Робот Шейки, дебютировавший в конце 1960-х годов, ознаменовал своим появлением возникновение такой области, как мобильная робототехника. Получивший свое название из-за привычки подрагивать во время работы, этот хилый робот продемонстрировал, как логическое мышление может сочетаться с цифровым восприятием, таким как зрение, для планирования и управления физической активностью.

В это время появились и первые игровые ИИ. В те годы исследователи полагали, что стратегические игры требуют умения планировать, интуиции и опыта, а также навыков решения проблем: другими словами, интеллекта человеческого уровня. Шашки и шахматы оказались для ИИ не такой трудной задачей, как ожидалось, однако стратегия обучения и тестирования новых алгоритмов искусственного интеллекта в игровой среде оказалась весьма полезной. Программа Артура Сэмюэла по игре в шашки стала одной из самых успешных, так как улучшала игровые показатели, постоянно играя сама с собой (популярная стратегия, которую обычно так и называют — «игра с самим собой»). Многие считают изобретение Сэмюэла первым примером машинного обучения. Сегодня Google DeepMind и некоммерческая OpenAI входят в число компаний, которые занимаются машинным обучением, используя эту стратегию.

Семантическая сеть. Метод представления данных. Семантические сети позволяют математически отобразить отношения между различными вербальными понятиями, подобно ассоциативным картам, которые используют во время мозгового штурма, чтобы связать идеи и понятия.

Машинный перевод. Отрасль машинного обучения, изучающая алгоритмы, которые автоматически переводят речь или текст с одного языка на другой.

Игровой ИИ. Алгоритм, играющий в реальной или виртуальной жизни. В рамках этого подхода алгоритмы играют с другими алгоритмами или людьми, чтобы развить качества, которым можно будет найти более сложное или полезное применение в реальном мире.

OpenAI. Некоммерческая исследовательская компания, основанная в 2015 году Илоном Маском и Сэмом Альтманом. Активно разрабатывает алгоритмы ИИ с целью принести пользу человечеству в целом.

в

A

A Перцептрон Mark I (Mark I Perceptron), сконструированный в авиационной лаборатории Корнелла, был аппаратным воплощением алгоритма перцептрона. Он был изготовлен при личном участии Фрэнка Розенблатта и был способен научиться различать простые геометрические фигуры на основе полученного с камеры изображения размером 20 × 20 пикселей. Пользователи могли менять входные изображения с помощью наборной панели. Для обновления силы связей между искусственными нейронами использовались электродвигатели. Сами «синаптические веса» хранились в массивах специальных резисторов.

В те же годы был создан перцептрон. Изобретенный Фрэнком Розенблаттом (1928–1971) в 1957 году, перцептрон процессом производимых им вычислений отдаленно напоминал работу биологических нейронов: отдельные нейроны объединяются в нейронные сети, создающие фундамент для обучения. Перцептрон воплощал революционную идею — использование знаний в области нейронауки для создания самообучающихся машин.

Этот простой алгоритм ИИ в конечном итоге привел к развитию в 1950-х годах искусственных нейронных сетей, которые объединяют множество искусственных нейронов в три слоя — сенсорный (входной), ассоциативный (промежуточный) и реагирующий (выходной). Объединенные в сеть, они считывают, обрабатывают и выводят результат. Связь между каждой парой нейронов называется синаптическим весом, величина которого изменяется по мере обучения сети.

Нейронные сети с современной архитектурой иногда могут соперничать с человеческими показателями в обработке изображений, распознавании речи, играх.

Но, возможно, наиболее значительными успехами первого периода подъема ИИ стали системы, основанные на базах знаний. Эти системы могут строить логические рассуждения и находить решения задач, используя базы данных, содержащие правила вывода и информацию о человеческом опыте и знаниях в некоторой предметной области. Самыми ранними примерами таких программ считаются практически все экспертные системы: программы, обладающие экспертизой в определенной области знаний.

Масс-спектр. График, полученный в результате химического анализа. Отображает некоторые характеристики молекулы и часто используется для идентификации конкретных молекул в жидкости, состоящей из смеси химических веществ.

MYCIN. Одна из первых медицинских экспертных систем, которая использует ИИ для выявления инфекций и нарушений свертываемости крови. Система может распознать тип бактерий, которые вызывают тяжелые инфекции, и рекомендовать соответствующие антибиотики и их дозировку.

CADUCEUS. Медицинская экспертная система, основанная на MYCIN. Диагностирует до 1000 различных заболеваний.

Например, программа Dendral, созданная в 1967 году, помогла органическим химикам истолковать масс-спектры органических химических соединений. Это был первый успех системы, основанной на базах знаний, в построении научных суждений. Ее главную функцию — поиск решения задачи с учетом ряда ограничений — позднее стали использовать в сфере бизнеса для финансового планирования. В том же году были разработаны системы, основанные на базах знаний, для решения различных математических задач. Более поздние программы, такие как MYCIN и CADUCEUS, продемонстрировали потенциал ИИ в медицинской диагностике. Вероятно, именно экспертные системы стали первым примером успешного применения ИИ на практике и подарили большие надежды инвесторам и исследователям.

Казалось, развитие ИИ не остановить.

К 1970-м годам накопилось много проблем, которые в результате привели к первой зиме ИИ. Одним из препятствий стало аппаратное обеспечение: компьютерная память и скорость обработки не могли удовлетворить растущие требования алгоритмов ИИ, поэтому тестировать новые идеи становилось всё затруднительнее. Другой сложностью стал комбинаторный взрыв, когда для решения многих реальных задач потребовалось огромное количество вычислительного времени. То есть решения, которые срабатывали для модельных задач, нельзя было просто расширить, чтобы использовать для задач из реальной практики. В-третьих, в областях компьютерного зрения и обработки естественного языка программам требовалось огромное количество информации об окружающем мире.

В то время невозможно было создать настолько обширные базы данных. К числу других проблем относятся чрезмерная зависимость от систем для работы с однозначно истинными или ложными суждениями («верно/неверно») и отсутствие надежных методов работы с неопределенностью. Эти ранние системы не подходили для полезных, но сложных применений.

Зима ИИ. Период в истории ИИ, когда интерес к нему уменьшается, а финансирование урезается, что приводит к приостановке в развитии ИИ. Выделяют две основные зимы ИИ: 1974–1980 и 1987–1993 годы.

Комбинаторный взрыв. Экспоненциальный рост объемов вычислительных затрат, необходимых для решения задачи, по мере увеличения размера ее входных параметров. Для развития ИИ необходимо ограничить этот рост ради снижения количества вычислительного времени и ресурсов, необходимых для решения задачи.

Компьютерные системы пятого поколения. Проект, финансируемый Министерством международной торговли и промышленности Японии. Был запущен в 1982 году с целью разработки мощных компьютеров, чей принцип работы аналогичен сегодняшним суперкомпьютерам. Предполагалось, что эти компьютеры нового поколения станут платформой для разработки и тестирования ИИ.

A

A   Большие компьютеры
Берроуза, такие как эта
консоль с устройством
хранения данных на бо-
бинах с магнитной лен-
той, были распростра-
нены в 1970-х годах,
особенно на предпри-
ятиях. Линейка про-
дуктов, разработанная
Burroughs Corporation,
включала модели вы-
сокого, среднего и на-
чального уровня, ка-
ждая из которых была
приспособлена под
определенный язык
программирования.

B   В токийском районе
Акихабара, также из-
вестном как «Электри-
ческий город», в 1980-х
годах начали продавать
домашние компьюте-
ры и связанные с ними
компоненты специа-
листам и любителям.
Рынок продолжает про-
цветать и сегодня.

B

В 1970-х все эти препятствия были описаны в нескольких неутешительных отчетах, которые умерили оптимизм в отношении ИИ. ИИ стал жертвой собственной
популярности и шумихи вокруг себя, исследователи
изо всех сил пытались оправдать необоснованные
ожидания. По мере того как крупные государственные
структуры разочаровывались, не видя прогресса и прак-
тических успехов, стало иссякать и финансирование.

Однако вскоре эстафету перехватила
Япония. В начале 1980-х годов Япония
вложила средства в запуск своего проекта по компьютерным системам пятого
поколения. Этот проект был направлен
на развитие массово-параллельных вычислительных архитектур для создания
аппаратной платформы, которая, в свою
очередь, могла бы способствовать разработке мощных программ ИИ.

A

Старый добрый искусственный интеллект. Собирательный термин для алгоритмов ИИ, которые полагаются на работу с символами и правилами. Считается, что такие алгоритмы достигли своих пределов в экспертных системах.

Теория принятия решений. Изучает логику и математические закономерности принятия решений в условиях неопределенности. Позволяет вычислять стратегии оптимального выбора, основанные на рисках ожидаемой прибыли или убытка.

Одновременно интерес к компьютерам следующего поколения и ИИ возник в СССР. Этот интерес вызвал в США озабоченность и опасения, что соперник вскоре обгонит их в технологической сфере. В результате группа американских компаний и исследователей возобновила изучение ИИ на серьезном уровне, а Министерство обороны приступило к реализации масштабной долгосрочной инициативы по разработке систем ИИ, таких как беспилотные автомобили и танки.

В 1980-х годах экспертные системы стали стремительно развиваться благодаря важному предположению, что предпосылкой для интеллектуального мышления является способность использовать большие объемы различных данных. Корпорации разработали и внедрили сотни таких систем по всему миру. Тем не менее эти экспертные системы нового поколения вскоре также столкнулись с проблемами: вычислительные возможности небольших систем оказались слишком ограниченными, чтобы решать задачи реального мира, в то время как большие системы были дорогими, громоздкими и непрактичными. К концу 1980-х годов, когда проект пятого поколения не смог достичь своих первоначальных целей и интерес к экспертным системам снизился, наступила вторая зима ИИ. Чтобы не снижать шансы на получение финансирования, некоторые исследователи ИИ даже стали избегать терминов «робототехника» и «искусственный интеллект».

В 1990-х благодаря идее, что концепция старого доброго искусственного интеллекта (GOFAI) просто не подходит для создания интеллектуальных систем, исследования наконец возобновились. GOFAI не справлялся с изменениями: незначительные корректировки исходной задачи, которую он был обучен решать, или изменения в начальных условиях могли привести к нарушениям в работе алгоритма. Всё большее число исследователей ИИ начали отходить от экспертных систем и GOFAI и вместо этого обращаться к алгоритмам, которые лучше справляются с изменениями и о которых мы расскажем во 2-й главе.

Помимо теоретического прорыва, роль сыграло и то обстоятельство, что многие из проблем, с которыми столкнулся ИИ, были уже решены в других областях — математике, экономике и теоретической нейронауке, что привело к развитию междисциплинарного сотрудничества на высоком уровне. Исследователи обратились к идеям теории вероятностей и теории принятия решений, а также разработали точные математические описания алгоритмов машинного обучения. Оптимизм в отношении ИИ постепенно возвращался.

Широкое распространение интернета ознаменовало новую эпоху в исследованиях ИИ.

A   Мецаморская атомная электростанция была построена в Армении в 1976–1980 годах и до сих пор эксплуатируется. Недавно отсутствие защитной оболочки и нахождение в сейсмической зоне стало причиной жесткой критики.

B   Завод по производству урана и плутония в Хэнфорде, Вашингтон, использовал компьютерные панели для производства ядерных материалов в промышленных масштабах. Во время холодной войны его деятельность неуклонно расширялась. В 1987 году завод был полностью выведен из эксплуатации.

Deep Blue. Шахматный компьютер стал одним из примеров сочетания методов GOFAI и машинного обучения. Для выбора ходов компьютер использовал перебор возможных вариантов, управляемый эвристическими правилами ходов.

Поисковый робот. Интернет-бот систематически собирает информацию в интернете. Используется для создания индекса сайтов и веб-страниц для поисковых систем.

DARPA Grand Challenge. Соревнование, финансируемое Управлением перспективных научно-исследовательских проектов Минобороны США с целью развития автономных транспортных средств.

ImageNet. База изображений, в которой каждое изображение описано с помощью ключевых слов или фраз. Разработана доктором Фей-Фей Ли в Стэнфордском университете, является одной из первых баз данных, созданных для удовлетворения растущих потребностей в больших объемах информации для исследования компьютерного зрения.

Глубокое обучение. Популярный метод машинного обучения с использованием многослойных архитектур нейронных сетей, созданных в ходе изучения работы мозга.

По мере того как возможности оборудования и объем доступных данных росли в геометрической прогрессии, ИИ во многих сферах достигал значительных успехов. Например, 11 мая 1997 года в матче, получившем широкий резонанс, программа Deep Blue от IBM смогла победить действующего чемпиона мира по шахматам Гарри Каспарова. В том же году исследовательская миссия НАСА выпустила первый автономный роботизированный марсоход. В 1998 году поисковые роботы принесли Google заоблачную популярность.

В 2005 году Стэнли, автономный автомобиль Стэнфордского университета, выиграл гонку DARPA Grand Challenge, вызвав широкий коммерческий интерес к беспилотным автомобилям и ознаменовав новый прорыв в области ИИ. В 2009 году Стэнфордский университет выпустил ImageNet, большую базу визуальных данных, которая используется в области компьютерного распознавания объектов, а исследователи ИИ получили достаточно информации для дальнейшего развития многослойных искусственных нейронных сетей. В 2012 году благодаря использованию ImageNet компьютерное зрение достигло значительных высот, что вызвало революцию в глубоком обучении. Теперь этот процесс не остановить.

Что ждет ИИ?

Как показывает его бурная история, легко может оказаться, что сейчас мы наблюдаем очередной виток шумихи вокруг ИИ. Однако по сравнению с предыдущими периодами развития нынешний расцвет ИИ имеет одно принципиальное отличие: коммерциализация. Сегодня прогресс в исследованиях ИИ трансформируется в его коммерческое использование, а не только в развитие теории. Эта тенденция стимулирует компании финансировать передовые фундаментальные исследования, так как за ними могут последовать коммерческие прорывы. Тут прослеживается определенная очередность: Google Translate повысил точность благодаря алгоритмам, разработанным в Google Brain. В 2016 году Google объявил о своем решении реорганизовать компанию на основе ИИ; другие компании, включая Facebook, Apple, Amazon, Microsoft и Baidu, последовали этому примеру.

Сегодня сдвиг парадигмы в сторону ИИ — скорее как инструмента решения задач, нежели способа создания разума, — оказался ключевой движущей силой, повинуясь которой смежные отрасли готовы делать крупные вложения, чтобы вырваться вперед в гонке ИИ.

A В 1999 году компания Google переехала в Пало-Альто и занялась структурированием накопленной в мире информации.

B Визуализация признаков позволяет исследователям увидеть, каким образом глубокие нейронные сети, подобные GoogleNet, формируют представление об изображениях от слоя к слою.

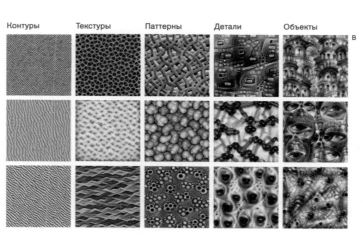

Контуры   Текстуры   Паттерны   Детали   Объекты

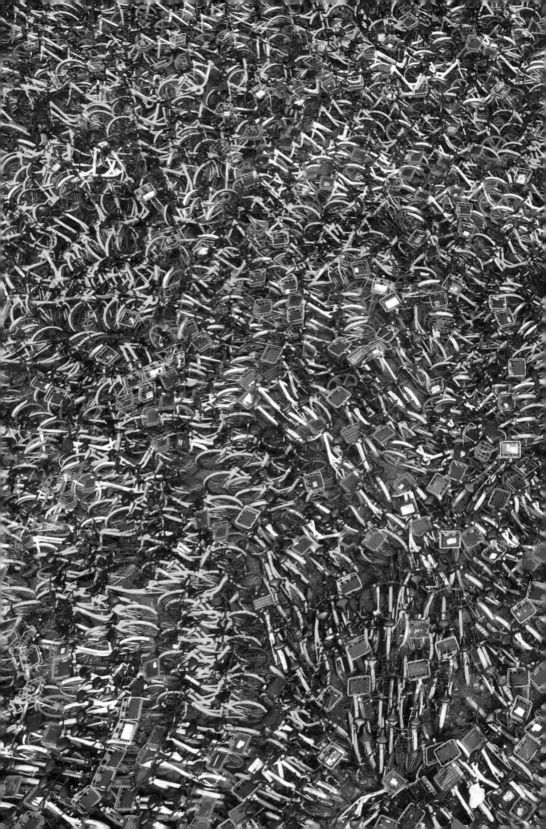

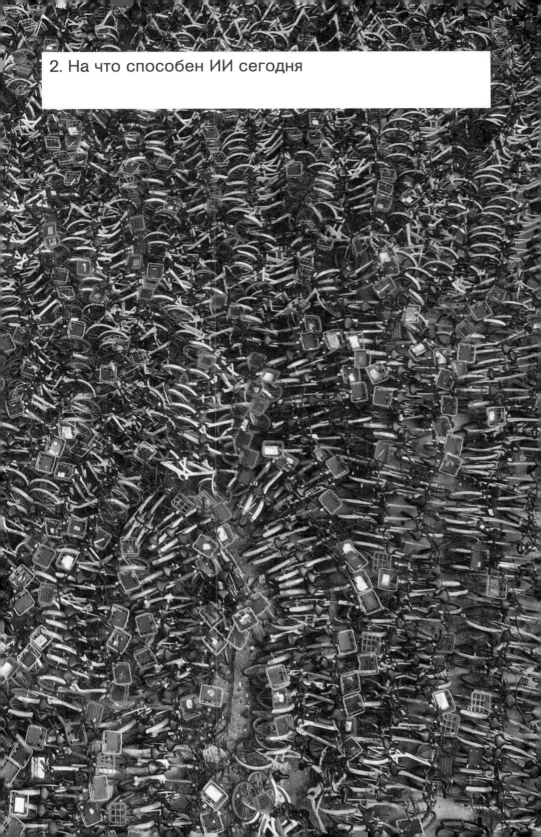

2. На что способен ИИ сегодня

A

Сегодня технологии искусственного интеллекта стали обычным явлением.

Среднестатистический технофил просыпается в комфортной температуре благодаря обучающемуся термостату Nest. Google Maps упрощает ему поездку на работу, предсказывая трафик и сокращая время езды. На работе почтовое приложение от Apple автоматически создает ответы на письма и проверяет орфографию, чтобы избежать ошибок. Вечером он включает Netflix и отдыхает под рекомендованный ему новый сериал. Таким образом, ИИ делает его поездки, работу и жизнь проще.

в

В марте 2018 года опрос Gallup, проведенный среди 3000 американцев, показал, что 85 % из них пользуются продукцией на основе ИИ, будь это навигаторы, стриминговые сервисы или приложения для совместных поездок. Так что неудивительно, что некоторые самые успешные компании Кремниевой долины стали таковыми благодаря внедрению ИИ. Сегодня приложений с ИИ слишком много для подробного и всеобъемлющего анализа. Здесь мы сосредоточимся на нескольких областях, в которых влияние ИИ уже заметно, и рассмотрим некоторые технологии и алгоритмы, лежащие в основе этих приложений.

A/B Часть проекта «Просмотр улицы» (Street View) была создана Джоном Рафманом в рамках его онлайн-работы «Девять глаз» (2009–). В 2007 году Google запустил этот проект, чтобы заснять панорамный вид улиц городов мира. С тех пор проект расширился и стал охватывать сельские районы. Эти кадры также фиксируют культурные и общественные события.

Без сомнения, машинное обучение сыграло самую важную роль в развитии искусственного интеллекта за последние двадцать лет. Это парадигма, которая позволяет программам автоматически повышать свою эффективность при выполнении конкретной задачи благодаря изучению огромных объемов данных. В отличие от классических программ, алгоритмы обучения («learners») — не строго запрограммированы, а обучаются. Эти мощные алгоритмы уже не пользуются «спущенными сверху» наборами созданных людьми правил обработки информации. Вместо этого они учатся с нуля — не у людей, а на основе данных. Алгоритмы обучения не работают по заранее известной схеме; они полагаются на статистику.

Благодаря машинному обучению мы приблизились к по-настоящему умным машинам.

Рост числа самообучающихся программ отчасти объясняется более дешевым и надежным аппаратным оборудованием, которое обеспечило возможность построения систем, основанных на реальных данных. Растущая способность собирать, хранить и обрабатывать значительные объемы информации помогла в создании алгоритмов, которые действуют, опираясь на различные статистические методы.

Машинное обучение часто упоминается как единая дисциплина, хотя фактически этим термином обозначают группу различных статистических методов, направленных на решение конкретных задач. Многие из этих алгоритмов основаны на интуитивных представлениях о работе человеческого мышления, однако само машинное обучение является чисто техническим продуктом. Оно не решает философские вопросы вроде: думают ли машины? обладают ли они сознанием? Машинное обучение стремится в явном виде воспроизвести в компьютерах конкретные выполняемые людьми функции, чтобы на выходе программы выдавали эффективные решения этих задач. На данный момент машинное сознание значения не имеет. То есть, когда вы говорите с цифровым помощником, осознанного понимания произносимых вами предложений не происходит. Цифровые помощники на чисто поведенческом уровне обрабатывают слова, фразы и предложения таким образом, чтобы алгоритм мог выполнить голосовую команду, например, выйти в интернет и найти прогноз погоды.

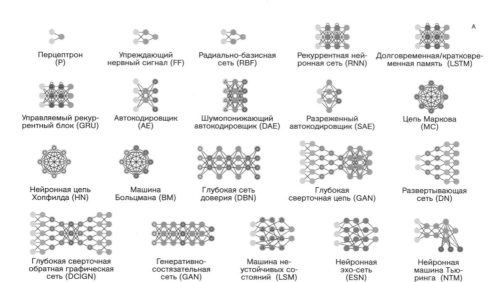

A

Перцептрон (P)

Упреждающий нервный сигнал (FF)

Радиально-базисная сеть (RBF)

Рекуррентная нейронная сеть (RNN)

Долговременная/кратковременная память (LSTM)

Управляемый рекуррентный блок (GRU)

Автокодировщик (AE)

Шумопонижающий автокодировщик (DAE)

Разреженный автокодировщик (SAE)

Цепь Маркова (MC)

Нейронная цепь Хопфилда (HN)

Машина Больцмана (BM)

Глубокая сеть доверия (DBN)

Глубокая сверточная цепь (GAN)

Развертывающая сеть (DN)

Глубокая сверточная обратная графическая сеть (DCIGN)

Генеративно-состязательная сеть (GAN)

Машина неустойчивых состояний (LSM)

Нейронная эхо-сеть (ESN)

Нейронная машина Тьюринга (NTM)

- ⬤ Ячейка ввода
- ◉ Ячейка ввода обратной подачи
- ⬤ Зашумленная ячейка ввода
- ⬤ Скрытая ячейка
- ⬤ Вероятностная скрытая ячейка

- ⬤ Наглядная скрытая ячейка
- ⬤ Выходная ячейка
- ⬤ Совпадение входной и выходной ячеек
- ⬤ Рекуррентная ячейка
- ⬤ Ячейка памяти

- ⬤ Ячейка памяти другого типа
- ⬤ Ядро
- ⊗ Свертка или объединение

Распознавание речи. Область ИИ, которая разрабатывает методы распознавания устной речи и перевода ее в текст.

Нейронный контур. Состоит из совокупности взаимосвязанных нейронов в мозге, которые, находясь в возбужденном состоянии, выполняют определенные функции.

в

Когда пользователи разговаривают с голосовым помощником — например, Siri, — они запускают двухэтапный процесс. Во-первых, Siri активирует систему ИИ для распознавания речи, которая переводит нечеткий звук в однозначный текст. Этот шаг невероятно сложен, потому что люди, естественно, говорят с разной высотой звука и с различными акцентами, которые варьируются в зависимости от места жительства и пола. Для того чтобы ИИ эффективно распознавал речь всех пользователей, система использует технику машинного обучения под названием «глубокое обучение».

A «Почти полная карта нейронных сетей» Федора ван Веена. Существует множество способов структурирования и соединения отдельных нейронов в нейронной сети, от простого перцептрона до более сложных структур. Эти «архитектуры» управляют потоком вычислений, и постоянно разрабатываются новые варианты соединений, чтобы добиться максимально корректного результата и уменьшить время вычислений.

B В 2018 году Google запустил в своем сервисе Google Ассистент (Google Assistant) многоязычную поддержку, благодаря которой пользователи во время запроса могут говорить на нескольких языках.

Сегодня глубокое обучение — это движущая сила всего машинного обучения. Эта техника основана на искусственных нейронных сетях, которые создавались по подобию биологических нейронных контуров, благодаря которым мыслит человек. Огромный успех метода очевиден почти во всех приложениях с ИИ. Например, в распознавании речи частота ошибок в большинстве приложений составляет теперь менее 10%.

После преобразования речи в текст Siri пытается определить, что именно пользователь хотел выразить этими словами. Этому помогают алгоритмы обработки естественного языка, которые также обучаются на миллионах примеров. Поскольку человеческий язык часто является неточным или неоднозначным, Siri необходим большой набор данных, чтобы иметь возможность фиксировать и обобщать изменения в речи для расшифровки значения. Тем не менее преимущество глубокого обучения состоит в том, что, обработав достаточное количество примеров, системы обработки естественного языка приобретают способность интерпретировать речь, анализировать эмоциональный тон предложений и автоматически переводить с одного языка на другой.

Еще одно популярное применение ИИ — личные рекомендации. В качестве примера рассмотрим четыре, казалось бы, разные компании: Netflix — потоковый видеосервис; Amazon — платформа для

A В 2017 году в Тибе, Япония, была представлена виртуальная голограмма по имени Хацунэ Мику. Первоначально ее разрабатывали как виртуальную поп-звезду, чей голос синтезировался с помощью программы Vocaloid.
B Визуализации массива данных о фильмах (слева) и связи внутри массивов (справа). Созданы Крисом Хефеле в рамках соревнования Netflix Prize.

Обработка естественного языка. Область ИИ, которая помогает компьютерам понимать, интерпретировать и работать с человеческим языком, часто в больших объемах.

Контекстная реклама. Метод, при котором выбор интернет-рекламы зависит от активности пользователей в интернете или поисковых запросов, которые они используют.

A

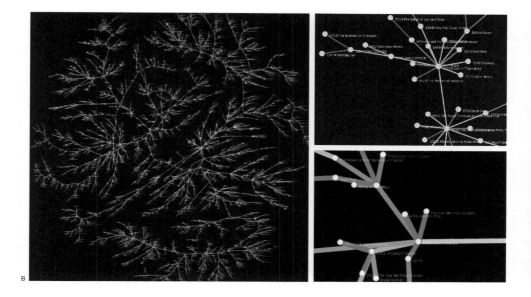

в

онлайн-покупок; Facebook — социальная сеть; и Google — поисковая система. Хотя эти компании предоставляют различные услуги, их системы искусственного интеллекта выполняют очень похожую задачу: они доводят до вас информацию.

С помощью машинного обучения эти компании понимают, какую информацию показывать своим пользователям. Сегодня рекомендательные системы широко используют ИИ, чтобы дать индивидуальные рекомендации по книгам или фильмам или предоставить персонализированные результаты поиска. Эти системы также используются в контекстной рекламе и онлайн-сервисах знакомств.

По сути, приложения на основе ИИ стремятся дать осмысленные рекомендации даже в условиях неопределенности. Например, Amazon может рекомендовать вам купить книгу на основе ранее приобретенного издания, даже не зная о ваших читательских предпочтениях. Это достигается двумя взаимодополняющими способами. Во-первых, система составляет схему предпочтений пользователя на основе предыдущих действий и аналогичных решений других пользователей. Amazon в основном использует этот метод, чтобы рекомендовать товары на основе истории покупок. Facebook, LinkedIn и другие социальные сети используют аналогичную систему, чтобы рекомендовать друзей или профессиональные связи.

Во-вторых, ИИ извлекает ряд характеристик из запрашиваемого элемента и создает его профиль. Затем система находит другие элементы, имеющие схожий профиль, и прогнозирует важность каждой характеристики для конкретного пользователя. Сайт Rotten Tomatoes, выкладывающий обзоры фильмов, и приложение для музыкальных рекомендаций Pandora Radio используют этот подход для рекомендаций фильмов и музыки соответственно.

Ключевой проблемой таких систем является неопределенность: часто у них нет полных данных ни об элементе, ни о предпочтениях пользователя. При этом системе нужно оценить вероятность того, что рекомендация понравится пользователю. Здесь особенно стоит отметить популярный набор алгоритмов, основанный на байесовском подходе. Эти алгоритмы позволяют обновлять достоверность конкретной гипотезы — например, вероятность того, что пользователю может понравиться фильм или песня — на основе новых данных. Это очень действенный метод, который может почерпнуть знания из случайных, зашумленных данных. Пользователь, возможно, купил книгу в подарок; это мешает при создании профиля его предпочтений. Байесовские методы в ИИ позволяют обучаться с достаточной точностью даже на несовершенных данных, также они часто сочетаются с другими алгоритмами — такими как искусственные нейронные сети — для создания алгоритмов метаобучения, дающих оптимальный результат.

Рекомендации с использованием ИИ — это процветающая отрасль.

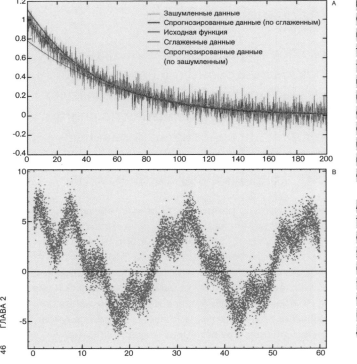

Байесовский подход.
Стратегия логического вывода, которая использует теорему Байеса, чтобы актуализировать достоверность гипотезы на основе новых сведений. Подход обеспечивает теоретическую базу для выявления в машинном обучении погрешностей и работы с ними.

Алгоритм метаобучения.
Тип алгоритма машинного обучения, который учится учиться. Вместо того чтобы изучать одну задачу, такой алгоритм сосредотачивается на изучении новых задач, используя предыдущий опыт.

A Зашумленные данные (зигзаго-
образная линия) обрабатыва-
ются разными статистически-
ми способами, чтобы построить
приближенно описывающую
их экспоненциальную кривую
(красная линия).
B Созданный компьютером набор
данных охватывает 10 000 чув-
ствительных к шуму точек. Чтобы найти наилучшее соответ-
ствие для таких зашумленных
данных, ученые используют
алгоритм под названием «кван-
тильная регрессия».
C «Очень странные дела» —
научно-фантастический сериал
о 1980-х от Netflix. Помимо использования механизмов рекомендаций, Netflix с помощью
машинного обучения персона-
лизирует показ постеров.

C

Netflix считает свою систему рекомендаций самым ценным активом. Платформа Cinematch
изучает предпочтения пользователей, чтобы
посоветовать им малоизвестные фильмы и сериалы, на которые компания потратила не так много. Отвлекая внимание от дорогих блокбастеров,
Netflix гарантированно покрывает свои лизинго-
вые расходы и получает прибыль от подписок
пользователей. В 2006 году компания предложи-
ла приз в размере 1 миллиона долларов тому, кто
на 10 % повысит точность их рекомендаций.

Компания заявила, что
по состоянию на 2012 год
75 % фильмов зрители
увидели благодаря алгоритму
рекомендаций.

Не так давно Netflix взялась и за производство контента. Используя свою обширную базу данных о предпочтениях пользователей, компания рассчитала, какие сюжеты и актеры при-
влекут наибольшее внимание, и начала производить фильмы
и сериалы на основе этих данных. На сегодняшний день Netflix
выпустила несколько популярных продуктов, в том числе «Кар-
точный домик», «Оранжевый — хит сезона», «Очень странные
дела». Подобный подход переняли и другие стриминговые сервисы, такие как Amazon Prime Video и Hulu.

A В 2016 году беспилот-
   ные грузовики Volvo
   FMX первыми начали
   движение по извили-
   стой подземной шахте
   в Кристинеберге, Шве-
   ция. Volvo — одна из нескольких транспорт-
   ных компаний, которые
   стремятся к автоматизации отрасли грузопере-
   возок.
B Проекты беспилотных
   автомобилей, пред-
   ставленные на Женев-
   ском Международном
   автосалоне в 2017 году
   компаниями Volkswagen
   (наверху) и Audi (внизу),
   дают основание предпо-
   лагать, что внешний вид
   автомобилей, возможно,
   полностью изменится.

A

Системы искусственного интеллекта быстро меняют наше взаимодействие с физическим миром даже за пределами цифровой сферы. Например, появление беспилотных автомобилей заставляет полностью пересмотреть нынешнюю транспортную систему. Еще в 2000-х годах считалось, что создать беспилотные транспортные средства — проблематично из-за сложного устройства городской среды и риска многочисленных инцидентов, которые автомобиль не сможет предвидеть и контролировать.

В 2004 году щедрое финансирование Управления перспективных исследовательских проектов Министерства обороны США (DARPA) спровоцировало рывок в исследованиях автономного транспорта. Пятнадцать беспилотных автомобилей проехали 228 км по пустыне Невада, США. В итоге команды не смогли выполнить поставленную задачу, но призовой фонд в размере 1 миллиона долларов вызвал интерес к разработке базовых технологий для создания беспилотных автомобилей, в том числе — передовых сенсорных технологий и 3D-карт местности.

Сегодня автономные транспортные средства — одна из наиболее быстро развивающихся сфер применения ИИ.

К февралю 2018 года беспилотные автомобили Google Waymo проехали 5 миллионов миль по дорогам общего пользования в 25 городах США. Большинство автомобилей, производимых Tesla, укомплектованы оборудованием для полностью автономного вождения, и, обновляя программное обеспечение, компания включает в него опции для автоматизированного вождения.

Такой быстрый и неожиданный прогресс отчасти объясняется значительными достижениями в нескольких областях ИИ, в том числе — компьютерном зрении, поиске и планировании, а также обучении с подкреплением. Благодаря развитию этих областей ИИ способен непрерывно отслеживать окружающую обстановку и прогнозировать потенциальные изменения в ней. В общем и целом, существует шесть столпов, которые обеспечивают безопасное перемещение беспилотного автомобиля.

Во-первых, автомобиль перемещается в пространстве, ориентируясь по GPS и подробной 3D-карте окружающей местности. Чтобы построить такие карты, необходимо множество раз проехать по окрестностям и зафиксировать, как могут изменяться дорожные условия. Благодаря таким картам беспилотники знают, чего ожидать от окружающей местности, и получают некоторые предварительные расчеты.

Компьютерное зрение. Область ИИ, разрабатывает системы, которые получают, анализируют и понимают изображения и другие визуальные данные. Это технология распознавания лиц, чисел и создания тегов к фотографиям.

Поиск и планирование. Область ИИ, разрабатывает процессы пошагового принятия решений роботами или компьютерными программами, которые пытаются достичь определенной цели.

Обучение с подкреплением. Направление машинного обучения, в рамках которого системы ИИ учатся ориентироваться и действовать в определенной среде, совершая различные действия и наблюдая за результатом.

Далее автомобиль собирает данные с помощью своих датчиков, в том числе — камер объемного звучания, обладающих 360-градусным охватом ультразвуковых и радиолокационных датчиков, а также лидаров. Совместная работа датчиков обеспечивает комплекс данных о близрасположенных предметах — их размере, форме, а также скорости и направлении движения.

Третий шаг — поиск по этим данным таких объектов, которые могут повлиять на маршрут автомобиля. Для этого шага требуется компьютерное зрение — краеугольный камень в исследованиях ИИ, которое учит машины «видеть» и «понимать» изображения, видео и другие визуальные мультимедиа. Заметьте, алгоритмы ИИ в явном виде не обладают пониманием того, что они видят; тем не менее они генерируют явный правильный вывод: например, они различают на картинке собаку, не понимая, что такое собака. В случае автономных транспортных средств, собранные данные используют для того, чтобы обучить алгоритмы машинного обучения отличать объекты на основе их формы и поведения. Обрабатывая миллионы примеров, ИИ учится распознавать пешеходов, велосипедистов, разметку полос и другие объекты.

Поскольку многие объекты движутся по дороге, ИИ должен в том числе прогнозировать направление и скорость их движения. Например, движется ли пешеход к или от самоуправляемого автомобиля? Это четвертый шаг: предугадать действия объектов на дороге. Одним из методов, позволяющих ИИ достичь этой цели, является метод опорных векторов — популярный алгоритм, созданный под влиянием знаний о человеческой психике. Алгоритм с таким необычным названием полагается на простой принцип: люди учатся по аналогии.

A   Твердотельный ли-
    дар может создавать
    360-градусные 3D-
    карты, которые ото-
    бражают объекты, лю-
    дей и другие предметы
    на дороге.

B   Лидар использует вра-
    щающиеся лазеры,
    чтобы запечатлеть
    местность вокруг авто-
    мобиля в виде облака
    точек в 3D.

Лидар. Лазерный дальномер. Технология
дистанционного сбора данных. Лазерные им-
пульсы лидара обследуют окружающую среду и собирают данные, с помощью которых
создаются модели и карты местности.

Живя в хаотичном мире, мы ищем сходство между различными явлениями и ситуациями, чтобы связать неизвестные
события с теми, что мы уже пережили. В свою очередь, эти
сравнения позволяют нам увидеть общие закономерности.
Анализируя видео, снятое автомобильными датчиками, метод опорных векторов в сочетании с глубоким обучением
помогает различать транспортные средства и пешеходов
и предсказывать их перемещения. Безусловно, этот метод
очень важен для беспилотных автомобилей и ИИ в целом.
Правильно оценив место действия, ИИ должен предпри-
нять пятый шаг — определить, как верно реагировать
на изменения в окружающей обстановке.

Поиск и планирование — это область ИИ, в которой машины учатся рассчитывать и выбирать правильную последовательность реакций для решения конкретной задачи.

Обучение без учителя.
Вид машинного обучения, в котором ИИ учится на данных, которые не были классифицированы или упорядочены, поэтому алгоритм действует самостоятельно.

Алгоритмы планирования часто используют в робототехнике для того, чтобы выстроить последовательность действий, они помогают разработать план с учетом имеющихся ограничений. Например, после того, как автомобиль-робот проанализирует окружающую обстановку, он должен в режиме реального времени проложить безопасный, удобный и эффективный путь через множество движущихся объектов, чтобы достичь своей цели — например, следующего перекрестка.

Возможно, самым современным методом создания систем ИИ для принятия решений является обучение с подкреплением. Также созданный под влиянием данных психологии, метод обучения с подкреплением является разновидностью метода проб и ошибок, часто применяемого при дрессировке животных. Если вкратце, животное за какой-либо поступок либо награждают, либо наказывают, пока не добьются желаемого поведения.

b

Наградой для ИИ является число, которое алгоритм пытается увеличить. Во время обучения вознаграждение может быть кратковременным и даваться сразу после действия, а может быть долгосрочным и даваться только после целой последовательности действий.

A В лаборатории DeepMind ИИ-агенты обучаются с помощью виртуальных игр, в которых надо выполнять разные задачи, например, перемещаться по лабиринтам или собирать фрукты. Стратегия обучения ИИ с помощью 3D-игр набирает популярность.

B Этот проект DeepMind направлен на освоение ИИ сложного двигательного контроля, являющегося ключевым признаком физического интеллекта. Человекоподобные фигурки учатся ходить, бегать и кувыркаться в незнакомой виртуальной среде.

Когнитивные психологи утверждают, что именно через обучение с подкреплением люди получают новые знания, когда нет четких инструкций: например, долгое время управляя автомобилем, мы интуитивно обучаемся новым навыкам вождения. Схожим образом алгоритм ИИ воспроизводит метод обучения без учителя. Объединение глубокого обучения и алгоритмов обучения с подкреплением в одно целое — глубокое обучение с подкреплением — считается последним словом в этой сфере исследований. Эта концепция, которую первой разработала компания DeepMind, сочетает в себе обучение методом проб и ошибок с обучением на основе необработанных входных данных, например пикселей в изображении. Если развить эту концепцию и применять ее в беспилотниках, ИИ сможет рассчитывать свой следующий шаг исключительно на основе данных, полученных датчиками, без вмешательства человека. Другими словами, этот вид алгоритмов учится выполнять последовательность действий в конкретной обстановке.

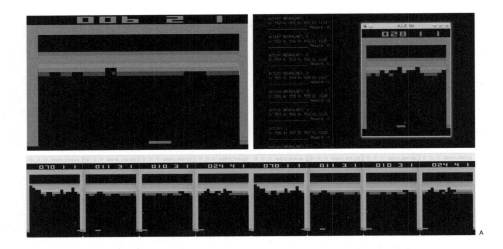

Идею глубокого обучения с подкреплением подсказал человеческий мозг. Возьмем, к примеру, дифференцируемый нейронный компьютер, который отчасти имитирует рабочую память в человеческом мозге. Еще одна идея, подсказанная нейронаукой, — автономное воспроизведение, которое позволяет сети постоянно учиться на прошлом опыте. Сравнивая текущие ситуации с событиями, хранящимися в памяти, сеть со временем начинает понимать, какие действия при тех или иных входных данных приведут к вознаграждению. Изначально алгоритм обучался на играх компании Atari, но теперь он используется для навигации по дорогам. Развитие методов глубокого обучения с подкреплением позволяет беспилотникам получать опыт вождения в процессе эксплуатации. Если развитие алгоритмов с модулями памяти будет продолжено, они помогут беспилотникам блестяще справляться со сложными дорожными ситуациями.

На шестом и последнем шаге все эти технологии машинного обучения помогают автомобилю с ИИ правильно реагировать на ситуацию: ускориться, притормозить или повернуть. Исследования в области беспилотных автомобилей постоянно развиваются. Например, в Массачусетском технологическом институте лидарные датчики учатся анализировать структуру покрытия прилегающих территорий, чтобы лучше определять границы грунтовых дорог, тогда автономные транспортные средства можно будет использовать и в сельской местности. Виртуальная реальность также помогает учить ИИ вождению. Использование смоделированных карт позволяет опустить первый шаг в обучении — построение высококачественных 3D-карт — и дает автомобилю возможность испытать на себе редкие, но потенциально смертельные дорожные происшествия.

Рабочая память. Разновидность памяти с ограниченным объемом; позволяет людям временно удерживать информацию в уме во время рассуждений и принятия решений.

A Такие игры, как Breakout, с простым и понятным алгоритмом, удобно использовать для обучения с подкреплением. Здесь за каждое действие можно получить вознаграждение, например игровой балл, а исследователь может отслеживать такие операции.

B GQN «смотрит» на место, чтобы рассчитать другие ракурсы той же местности. Например, при наличии трех точек зрения, алгоритм может составить несколько спрогнозированных карт. Сеть может выявлять, уменьшать погрешности в своих догадках, подобно человеку интуитивно оценивая собственную надежность.

В июне 2018 года DeepMind выпустила глубокую нейронную сеть под названием генеративная сеть запросов (GQN), которая может воссоздать в 3D любое место на основе нескольких родственных 2D-изображений. Также GQN выстраивает изображение местности с разных точек обзора. GQN и подобные методики пока несовершенны, но они уже могут предложить беспилотникам дополнительные возможности ориентирования на дороге. Например, алгоритм может ознакомить ИИ с определенным перекрестком, когда автомобиль движется к нему под необычным углом.

Благодаря интересу со стороны ученых и бизнеса производство автономных автомобилей быстро развивается: в США Департамент транспортных средств уже разрешил более 50 компаниям тестировать подобные автомобили в различных штатах. Среди них — как новые компании, такие как Waymon, Uber и Tesla, так и знакомые всем автомобильные гиганты Nissan, BMW, Honda и Ford.

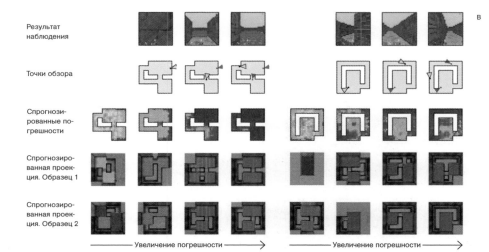

Результат наблюдения

Точки обзора

Спрогнозированные погрешности

Спрогнозированная проекция. Образец 1

Спрогнозированная проекция. Образец 2

——→ Увеличение погрешности ——→   ——→ Увеличение погрешности ——→

B

Разумеется, развитию этой сферы также способствует то, что первый массовый производитель автономных транспортных средств выиграет экономически.

В одном из исследований аналитики Intel доказали, что беспилотные автомобили обладают огромным экономическим потенциалом: в Intel прогнозируют, что к 2035 году производство автономных автомобилей даст годовой доход в 800 миллиардов долларов, а к 2050 году он увеличится до 7 триллионов долларов. В докладе этот новый рынок называется «пассажирской экономикой», в нее входит стоимость услуг и товаров, которые появляются вследствие использования беспилотных автомобилей, а также нематериальная экономия времени и ресурсов.

Считается, что производство автономных грузовиков принесет еще больше доходов. На длинных участках шоссе беспилотные грузовики могут выстраиваться в колонны, уменьшая, таким образом, аэродинамическое сопротивление. В отличие от живых водителей, ИИ никогда не устает и не теряет концентрацию. В начале 2018 года компания Embark объявила, что ее беспилотный грузовик преодолел 3860 км по территории США, при этом контролировал поездку живой водитель. Если бы законы не запрещали автономное передвижение транспортных средств, грузовик мог бы проехать от одного побережья до другого всего за два дня, а не за четыре-пять, как с живым водителем. Экономические выгоды настолько велики, что Waymo, Tesla и Uber занялись грузоперевозками. В течение ближайшего десятилетия автономные грузовики, возможно, завоюют всю отрасль.

A

A   В рамках проекта ENSEMBLE, запущенного в 2018 году, грузовики по всей Европе выстраиваются на дорогах в автоколонны. Таким образом можно сэкономить на топливе, уменьшить выбросы углекислого газа и повысить безопасность.

B   В настоящее время проводится автоматизация транспортных терминалов. AutoStrad в порту Лос-Анджелеса укладывает и перемещает грузовые контейнеры, что увеличивает интервалы между проведением техобслуживания и повышает безопасность.

в

Вопреки первоначальным прогнозам, внедрение ИИ разрушает не только сферу низкоквалифицированного труда — ИИ получает широкое распространение и в такой неожиданной области, как здравоохранение. Влияние ИИ уже ощущается в фармацевтике, пациент-ориентированных клиниках, хирургии и медицинской диагностике.

С помощью больших данных, а также сложных алгоритмов ИИ крупные фармацевтические компании анализируют библиотеки препаратов, чтобы найти возможность создания новых перспективных лекарств. Суперкомпьютер IBM Watson после своей знаменательной победы в шоу Jeopardy! сотрудничает с такими фармацевтическими гигантами, как Merck, Novartis и Pfizer, разрабатывая новые лекарства, планируя и анализируя клинические испытания, а также прогнозируя безопасность и эффективность лекарств.

Большие данные. Термин применяют к чрезвычайно большим и сложным наборам данных, которые компьютер может проанализировать, выявив в них закономерности, тенденции и ассоциации. С помощью больших данных можно получать новую информацию и строить прогнозы.

В фармацевтике часто применяют ИИ, в основе которого лежат эволюционные алгоритмы. Так же как и в случае с искусственными нейронными сетями, концепция эволюционных алгоритмов появилась благодаря природе — в данном случае, идее естественного отбора. Исследователи ИИ берут начальную совокупность алгоритмов и выбирают те, которые лучше всего генерируют новую молекулярную структуру препарата. Потом немного изменяют самые результативные алгоритмы или смешивают фрагменты их кода, чтобы получить следующее поколение алгоритмов. Теоретически через несколько поколений лучшие программы последней популяции смогут превосходно генерировать молекулы, похожие на лекарства.

Эволюционные алгоритмы позволяют исследователям моделировать свойства молекул, а также создавать новые молекулярные структуры и определять, пригодятся ли они при создании лекарств. Сегодня большинство крупных фармацевтических компаний в процессе изыскания новых лекарственных средств использует генетические алгоритмы. Кроме того, байесовские модели, ранее внедренные в рекомендательные системы, также помогают понять, какие химические структуры подойдут для различных типов лекарств и в случаях множественной лекарственной устойчивости.

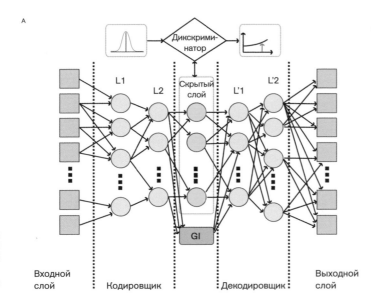

A

A   Алгоритм глубокого обучения под названием «генеративно-состязательный автокодировщик» может создавать «отпечатки пальцев» молекул, которые в определенных концентрациях обладают противораковыми свойствами. «Дискриминатор» взвешивает полученные варианты и оценивает их подлинность.

B   Это произведение искусства создано эволюционным алгоритмом. Алгоритм последовательно выбирает и совершенствует сгенерированный рисунок, пока не выберет конечный вариант.

**Множественная лекарствен-
ная устойчивость.** Способность патогенных микробов развивать устойчивость к противомикроб-ным препаратам. Примерами такой устойчивости являются MRSA (ме-тициллинрезистентный золотистый стафилококк) и множественно-лекарственно-устойчивая форма туберкулеза.

Suki. Цифровой помощник врачей, который ведет электронные меди-цинские записи и экономит время оформления документов. Разра-ботан американской медицинской стартап-компанией, базирующейся в Редвуд-Сити, Калифорния.

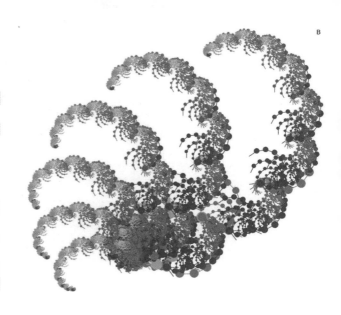

В клиниках новое поколение техноло-гически подкованных врачей постоянно консультируется со специализирован-ными приложениями на основе ИИ. Так как рабочие нагрузки увеличиваются, врачи готовы прибегать к любой помо-щи, что способствует интеграции ИИ в их повседневную практику.

Во-первых, поскольку объем научных публикаций быстро растет, автоматизированные системы по обработке текста могут просма-тривать опубликованные отчеты и выуживать из них новую инфор-мацию, которую затем врачи получают уже в виде простых сво-док. В настоящее время IBM Watson и Semantic Scholar обучаются именно такой способности. Обрабатывая естественный язык, эти системы читают и классифицируют результаты миллионов научных работ, чтобы найти необходимую информацию и ранее упущенные соответствия. Во-вторых, клинические помощники на основе ИИ могут взять на себя административную работу, например заполне-ние медицинских карт. В середине 2018 года компания Suki вложи-ла миллионы в развитие своего голосового цифрового помощника для клиник. Предварительные данные, полученные в ходе 12 ис-следований в США, показывают, что ИИ экономит врачам до 60 % времени, затрачиваемого на оформление документов. Как и в дру-гих технологиях машинного обучения, точность Suki будет только расти по мере увеличения объемов собранных данных.

A Говорящий робот Рити
   во Французском национальном институте здравоохранения и медицинских исследований (Inserm) использует однозначные выражения и простой язык, не выказывая при этом скуки или досады, что помогает аутичным детям лучше концентрироваться. Исследование взаимодействия человека и робота помогает детям-аутистам учиться общению.
B Операционная, в которой используется робот да Винчи, уже не является диковинкой. На данный момент он выполнил более 3 миллионов операций по всему миру.

Важная область применения ИИ — робототехника — также внесла свой вклад в развитие медицины: речь о роботах-хирургах. В 2000 году компания Intuitive Surgical представила систему da Vinci, которая способна проводить минимально инвазивные операции по шунтированию сердца. Система превращает движения рук хирурга в небольшие точные действия роботизированных манипуляторов. В настоящее время аппарат может проводить множество типов операций и работает в больницах по всему миру.

Но, пожалуй, сильнее всего ИИ повлиял на медицинскую диагностику.

В 2017 году в престижном академическом журнале Nature было опубликовано исследование, доказывающее, что искусственная нейронная сеть может выявить подтвержденный биопсией рак кожи. Алгоритм выполняет диагностику не хуже, а иногда и точнее сертифицированных дерматологов.

В некоторых испытаниях ИИ проявил себя более внимательным и точным, чем живые врачи, реже пропускал смертельный рак кожи и реже ошибочно диагностировал рак. Совсем недавно другие разработчики представили системы ИИ, которые сканируют изображения сетчатки, оценивая риск развития глазных и сердечно-сосудистых заболеваний. Существуют также алгоритмы диагностики рака молочной железы на основе маммограмм и автоматизированные системы выявления пневмонии, аритмии сердца и некоторых переломов костей, и диагнозы этих алгоритмов не уступают по точности диагнозам живых врачей.

в

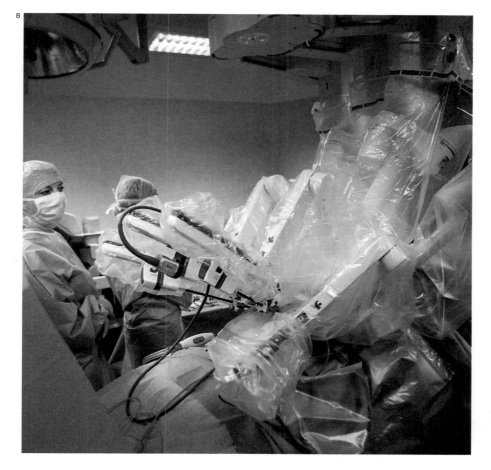

Успехи ИИ в медицинской диагностике настолько многообещающие, что британский ученый Джеффри Хинтон (род. 1947) недавно заявил, что медицинским институтам «пора прекратить выпускать рентгенологов». Многие, однако, считают, что ИИ может помочь рентгенологам в слаборазвитых или развивающихся регионах и расширить доступ к медицинской помощи.

Еще более новаторская сфера применения ИИ в медицине — умное протезирование. Используя методы глубокого обучения, ученые разработали протезы рук и кистей, которые реагируют на мозговые волны, позволяя пациентам управлять бионическими конечностями с помощью разума. Такие компании, как Aipoly и EyeSense, используют нейронные сети, чтобы помочь слабовидящим людям ориентироваться в окружающей среде. Приложения работают на смартфонах и описывают близко расположенные объекты.

Влияние ИИ на общество и его применение безграничны.

A

A В рамках программы Управления перспективных исследовательских проектов Министерства обороны США (DARPA) под названием HAPTIX разрабатываются протезы рук, способные ощущать прикосновения. При помощи электрической стимуляции отдельных нервов система создает реалистичные ощущения, которые как будто бы испытывает отсутствующая рука.

B Машинное обучение создает всё более умные протезы рук, которые управляются непосредственно мозгом. Эти алгоритмы считывают мозговые волны, чтобы распознать двигательные сигналы, вместо того чтобы полагаться на осознанные команды.

C Суставные ямки ComfortFlex изготовлены из «умного пластика», который «запоминает» форму культи.

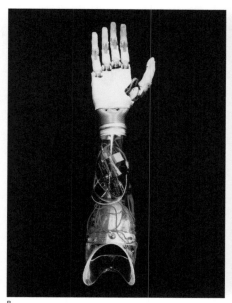

в

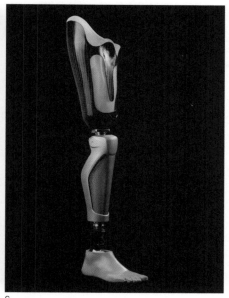

с

Согласно «Столетнему исследованию искусственного интеллекта» Стэнфордского университета, в течение следующих двух десятилетий ИИ, помимо описанных в этой главе сфер жизни, значительно повлияет на логистику, образование, общественную безопасность и работу сервисных роботов. С развитием технологий ИИ-системы будут проникать в общество и промышленность. Однако для того, чтобы ИИ полностью реализовал свой потенциал, его результаты должны быть точными и объяснимыми.

Сегодня существует несколько серьезных препятствий, которые мешают ИИ воплотить связанные с ним революционные перспективы.

3. Сегодняшние проблемы и недостатки ИИ

A

A   Алгоритмы распо-
знавания лиц Gfycat
способны распознать
участниц кей-поп-
группы Twice, но бо-
лее ранние версии
не могли иденти-
фицировать азиат-
ские лица. Расовая
предвзятость призна-
на одной из серьез-
ных проблем ИИ.
B   Эта Twitter-иконка
принадлежит Tay,
чат-боту от Microsoft.
Свои разговорные
навыки она трени-
ровала с помощью
машинного обуче-
ния. В течение суток
Tay стала расисткой
и сексисткой, научив-
шись оскорблениям
у интернет-троллей.

Несмотря на быстрое распространение приложений на основе ИИ в повседневной жизни, технологии всё еще далеки от совершенства.

Некоторые недостатки ИИ заложены в его алго-
ритмах. Например, современные системы ИИ часто
дают неверные результаты и при этом не могут
объяснить процесс принятия решений. Алгоритмам пока что сложно отвечать за свои ошибки.
Другие проблемы, возможно, не так очевидны, так
как отражают и усиливают существующие в обществе предубеждения и неправомерные действия
правительства. Речь идет о гендерных и расовых
предубеждениях, манипулировании настроениями
избирателей в интернете и скрытой слежке за гражданами. Есть и технические проблемы, например,
системы ИИ не способны применять полученные
знания в новых обстоятельствах и решать новые
задачи с ограниченным количеством примеров.

Пугающий пример несовершенства алгоритмов — авария со смертельным исходом, в которую попал полуавтономный автомобиль Tesla в 2016 году. Находясь в режиме автопилота, автомобиль перепутал белую фуру с ярко освещенным небом и столкнулся с днищем трейлера. В марте 2018 года в Темпе, штат Аризона, роботизированный автомобиль Uber насмерть сбил прохожую. Позже расследование показало, что ИИ видел женщину, но его алгоритмы ошибочно решили, что она находится не на пути транспортного средства. Вскоре после этого в автомобиль Waymo, который ехал в автономном режиме, врезался автомобиль с обычным водителем за рулем, что поставило вопрос о том, как программировать автопилот так, чтобы лучше контролировать действия других водителей, едущих по той же дороге. Несколько месяцев спустя седан Tesla Model S врезался в бетонную стену, оба пассажира погибли.

Но несмотря на эти ужасные аварии, общая статистика безопасности беспилотных автомобилей весьма убедительна. Например, автомобили Waymo стали участниками примерно 30 незначительных аварий, при этом виноватыми были только в одной. Согласно исследованию, опубликованному Intel в 2017 году, введение беспилотных автомобилей может спасти за одно десятилетие более полумиллиона жизней.

Автопилот. Самоуправляемая система в полуавтономных транспортных средствах. Водители во время движения должны сохранять бдительность и внимание к дорожным условиям.

A Wing Loong — раз-
   работанный в Китае
   беспилотный самолет-
   разведчик, совер-
   шил свой первый ис-
   пытательный полет
   в 2009 году. Всё более
   широкое использова-
   ние ИИ в вооруженных
   силах заставляет заду-
   маться о безопасности.
B Шагающая система под-
   держки подразделения
   (Legged Squad Support
   System) LS3 была раз-
   работана компанией
   Boston Dynamics как
   автономная «вьючная
   лошадь» для использо-
   вания в военных опе-
   рациях. Она способна
   работать в неблагопри-
   ятных условиях и пере-
   мещаться по труднопро-
   ходимой местности.
C Корабельный автоном-
   ный пожарный робот
   ВМС США (SAFFiR) —
   гуманоидный робот,
   предназначенный для
   помощи морякам в ту-
   шении пожаров на бор-
   ту. В настоящее время
   разработчики пытаются
   улучшить его способ-
   ность выдерживать не-
   благоприятные условия.

Тем не менее уровень доверия общества к автомобилям с ИИ рекордно низок. В 2017 году Исследовательский центр Пью провел опрос, в ходе которого более половины респондентов заявили, что остерегаются автономных автомобилей, так как не уверены в их безопасности и не могут их контролировать. После смертельной аварии Uber в марте 2018 года опрос, проведенный Американской автомобильной ассоциацией, показал, что 73 % американцев боятся ездить на беспилотных автомобилях, что на 10 % больше, чем в конце 2017 года.

A

Исследовательский центр Пью.
Внепартийная институция США,
предоставляющая информацию
по социальным вопросам и тен-
денциям общественного мнения
в США и других странах.

Автономный дрон. Беспилотный
летательный аппарат. Автономные дроны способны до некоторой степени предугадывать
решения оператора касательно
изменения направления полета.

в

с

Эти проблемы отчасти возникают из-за недостаточного понимания механизмов машинного обучения и искусственного интеллекта. Большинство воспри-
нимает ИИ как некое подобие алхимии: иногда алгоритмы выдают нужные
результаты, но, когда они терпят неудачу, — например, если Siri отвечает на вопрос невпопад, — пользователи не могут понять почему. Когда Netflix до смеш-
ного неправильно выстраивает профиль предпочтений зрителя или когда
беспилотный автомобиль решает припарковаться на велосипедной дорожке,
пользователь не имеет возможности спросить у технологии, что пошло не так.

Больше опасений вызывают случаи, когда
речь идет о жизни и смерти, например, если
встает вопрос об использовании оружия
с ИИ. Американские военные допускают
возможность применения машинного обучения при управлении автономными дронами.
В этих ситуациях алгоритмы, которые терпят
неудачу, рискуют привести к катастрофическим последствиям.

Медики тоже не до конца доверяют новым технологиям. Несмотря на потенциал ИИ в рентгенологии, врачи не спешат в полной мере полагаться на поставленные им диагнозы. Большинство инструментов ИИ демонстрируют потрясающие результаты, однако до сих пор не было проведено достаточного количества независимых исследований, которые могли бы подтвердить, что ИИ может работать с любыми и со всеми выборками пациентов. Но, как и в случае Siri, беспилотных автомобилей и автономного оружия, более важный аргумент заключается в следующем: сегодня системы ИИ не могут объяснить свои решения — правильные или неправильные — даже своим создателям. Проблема настолько серьезна, что алгоритмы ИИ часто описывают как систему типа «черный ящик».

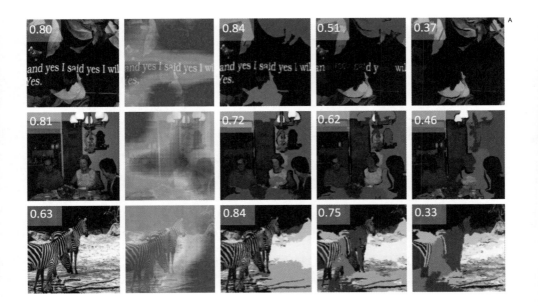

Система типа «черный ящик». Система в науке и технике, в которой можно наблюдать только входные и выходные данные. Что происходит внутри — неизвестно, и проверить нельзя.

A Алгоритм MemNet генерирует тепловую карту наиболее запоминающихся областей фотографии. Затем для изменения степени запоминаемости изображения в него могут быть внесены небольшие изменения.

B Алгоритм LIME объясняет, как принимает решение алгоритм-классификатор. Здесь египетская мау и бернский зенненхунд выделены по-разному. LIME окрашивает области, которые алгоритм считает значимыми при принятии решения.

B

Таким образом, непрозрачность системы является основным недостатком алгоритмов ИИ, а также основной причиной недоверия к ИИ со стороны общества.

Непрозрачный характер машинного обучения отчасти объясняется тем, каким образом алгоритмы обучаются. Сегодня большинство приложений полагается на глубокое обучение, архитектуру нейронных сетей, которая напоминает человеческий мозг. На одном конце каждой нейронной сети находится огромный объем данных, например миллионы фотографий собак. По мере того как данные проходят через вычислительные слои нейронной сети, каждый слой извлекает всё более абстрактные признаки. Но поскольку этот процесс протекает внутри нейронной сети, исследователи не могут в точности объяснить каждый отдельный абстрактный признак или то, почему сеть решила извлечь тот или иной набор признаков.

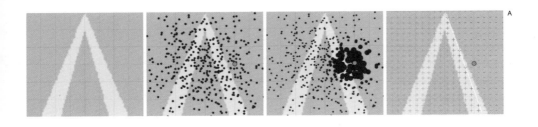

A

Сегодня никто не сомневается, что машинное обучение может изменить сферу производства и расширить возможности людей либо заменить их в определенных сферах деятельности. Однако вряд ли это случится, пока исследователи не найдут способ сделать алгоритмы более понятными и, в свою очередь, более подотчетными.

Результаты недавних исследований показали, что черный ящик машинного обучения не является столь уж непроницаемым. Уже сегодня существуют инициативы по созданию новых инструментов для анализа содержимого «мозга» самообучающихся систем, этим занимается отдельная отрасль машинного обучения — нейронаука ИИ. Один из способов — немного варьировать входные данные алгоритма и наблюдать, как эти изменения влияют на выходные данные. Например, один алгоритм, известный как «Локально интерпретируемые объяснения, не зависящие от устройства модели» (LIME), может специальным образом вносить изменения в исходную информацию с тем, чтобы определить ключевые факторы, влияющие на решение ИИ. Чтобы понять, какие факторы влияют на рейтинг фильмов, LIME удаляет или незначительно меняет слова в обзоре фильма, который когда-то получил высокий рейтинг. Затем система отслеживает изменения в рейтинге, если таковые имеются. Повторение этой операции приводит в конечном итоге к тому, что LIME обнаруживает, что слово «Marvel», например, почти всегда коррелирует с хорошими отзывами.

A Алгоритм LIME в действии. После того как алгоритм-классификатор упорядочил данные, LIME выбирает данные со «средними» признаками (черный) и немного меняет эти признаки вокруг точки интереса (зеленый), чтобы увидеть, как это отразится на решении.

B Знакомство со структурной (слева) и функциональной (в центре) моделями связей в человеческом мозге позволило определить важные соединительные узлы (справа), которые функционально связывают несколько областей мозга.

Нейронаука ИИ. Новая дисциплина, которая исследует внутреннюю работу систем глубокого обучения. Ставит перед собой цель объяснить внутреннее устройство и работу глубоких нейронных сетей, а также понять причины ошибок и успешной работы.

«Локально интерпретируемые объяснения, не зависящие от устройства модели». Алгоритм, который должен объяснить решения сетей глубокого обучения. Разработанный в 2016 году, LIME изменяет исходные данные и наблюдает за результатом, помогая исследователям понять, каким образом глубокие нейронные сети строят свои прогнозы.

Google разработал еще один вариант данного подхода, согласно которому для начала надо ввести пустую ссылку, например черное изображение, а затем постепенно добавлять изображения. С каждым шагом исследователи могут наблюдать, какие изображения генерирует ИИ на выходе, и делать выводы о том, на какие характерные особенности опирается ИИ.

Еще один способ основан на алгоритме, который по существу является машинным переводчиком. В частности, этот алгоритм может объяснить наблюдателю, что именно пытается сделать конкретный ИИ. OpenAI задает вопросы алгоритму ИИ, который защищает от хакеров. При этом использует второй алгоритм, который обрабатывает естественный язык; это переводчик. С помощью переводчика можно задавать вопросы относительно опыта и познаний алгоритма в деле блокировки хакеров. Исследователь наблюдает за сессией вопросов и ответов и — благодаря переводчику — понимает логику решений алгоритма блокировки хакеров.

B

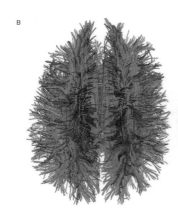
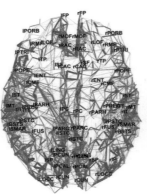
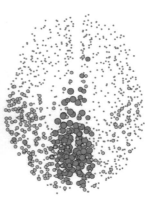

Весьма вероятно, что полностью объяснить некоторые решения ИИ невозможно. В конце концов, человеческие решения часто основываются на интуиции, инстинкте и опыте. Перед исследователями стоит вопрос, в какой мере они могут научить свои творения рационально объяснять самих себя.

A Вычислительный центр IBM Q первым построил квантовые компьютеры для общего пользования. Предприятия и ученые могут получить доступ к устройству с помощью Qiskit, модульной сетевой программы с открытым исходным кодом.

B В рамках «Проекта Феликса» в госпитале Джона Хопкинса, Балтимор, разрабатывается алгоритм поиска опухоли, чтобы рак поджелудочной железы можно было диагностировать на ранней, излечимой стадии. Начинается всё с азов: алгоритм обучается (см. здесь) распознавать различные органы, чтобы уметь идентифицировать поджелудочную железу.

Сейчас банки и работодатели всё чаще обращаются к методам глубокого обучения, чтобы определить, кому одобрить кредит и кого взять на работу, поэтому демистификация машинного обучения становится еще более необходимой. Уже существует мнение, что знание о том, как именно алгоритм принимает решение, — фундаментальное юридическое право каждого. В 2018 году президент Франции Эмманюэль Макрон объявил, что его правительство сделает все свои алгоритмы открытыми для общественности. В руководстве, опубликованном в июне 2018 года, Британия призвала специалистов по обработке и анализу данных и экспертов по машинному обучению, работающих в государственном секторе, сделать свою работу прозрачной и подотчетной. Кроме того, Европейский союз ввел законы, которые требуют от компаний, начиная с середины 2018 года, объяснять пользователям, почему их автоматизированные системы принимают то или иное решение.

A

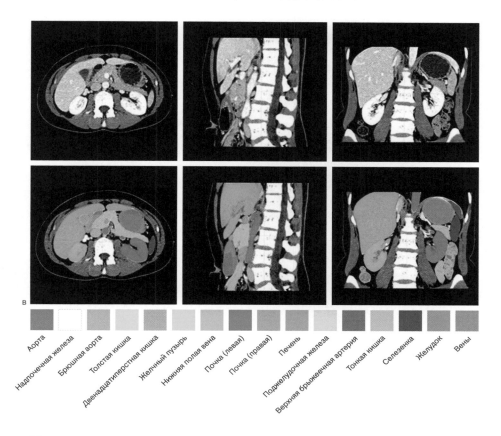

Аорта | Надпочечная железа | Брюшная аорта | Толстая кишка | Двенадцатиперстная кишка | Желчный пузырь | Нижняя полая вена | Почка (левая) | Почка (правая) | Печень | Поджелудочная железа | Верхняя брыжеечная артерия | Тонкая кишка | Селезенка | Желудок | Вены

И пусть для выполнения такого закона сегодня нет технологической базы, это тем не менее первая попытка уменьшить одно из опасных последствий непрозрачного автоматизированного процесса принятия решений — предвзятость. Чтобы понять, откуда она берется, полезно для начала рассмотреть гипотетический случай: диагностику рака. Если, например, первые рентгеновские снимки рака легких, использующиеся для обучения ИИ, рентгенолог вручную пометит желтым пятном, алгоритм в конечном итоге свяжет понятие «желтый» с понятием «рак». Другими словами, ИИ хорош настолько, насколько хороши данные для его обучения: если первоначальные обучающие образцы недостоверны, он подхватит это искажение. Как говорят профессионалы ИИ, «мусор на входе — мусор на выходе». Пример выше — это ошибка, которую легко выявить, но похожие сценарии — другое освещение, угол изображения или помехи в данных для обучения — могут незаметно сбить алгоритм с толку.

A Примером расовой предвзятости в программе для распознавания лиц стал случай Джой Буоламвини, которая обнаружила, что надетая на лицо белая маска улучшает способность алгоритма определять ее лицо.

B Программа для оценки рисков, которая прогнозирует вероятность повторного совершения преступления, всё чаще используется в залах судебных заседаний. Однако люди, совершившие одни и те же правонарушения, могут получить от программы разные оценки в зависимости от их цвета кожи.

A

Алгоритм, который выдает абсурдные решения, не обязательно опасен: ошибки легко обнаружить и исправить. Гораздо коварнее ситуация, когда алгоритмы ИИ незаметно, но систематически дискриминируют определенные группы людей по признаку расы, пола или идеологии.

Так, компания Google потерпела громкое фиаско, когда выяснилось, что первое поколение их автоматизированной системы распознавания фотографий идентифицирует выходцев из Африки как горилл — ошибка, которая вызвала в обществе бурю негодования. Исследование компании ProPublica 2016 года обнаружило, что COMPAS (программное обеспечение для оценки рисков, помогающее прогнозировать, какие преступники потенциально могут повторно нарушить закон) предвзято относится к чернокожим людям, хотя напрямую раса этой программой не учитывалась. Исследование 2017 года показало, что алгоритмы также демонстрируют предвзятость в языковых связях: мужчины чаще ассоциируются с работой, математикой и наукой, а женщины — с семьей и искусством. Эти предубеждения могут непосредственно влиять на условия найма на работу. К примеру, если ИИ, сканирующий резюме на позицию программиста, заведомо ассоциирует слово «мужчины» со словом «программист», тогда, вероятнее всего, резюме с именами, похожими на мужские, он выведет в начало списка приглашенных на собеседование. Предвзятость также очень распространена в программном обеспечении для перевода. Google Translate, например, преобразует гендерно-нейтральные местоимения с нескольких языков в местоимение «он», если речь идет о докторе, и в местоимение «она», если о медсестре. Программы распознавания речи гораздо хуже распознают женские голоса, а также диалекты, тем самым исключая из списка своих пользователей обширные слои общества, в которых говорят на нестандартном варианте своего языка.

Одни алгоритмы способны незаметно влиять на уровень медицинской помощи, которую вы получаете, или доступные вам страховые тарифы, другие — на ваш «рейтинг» в системе уголовного правосудия, третьи прогнозируют, в каких семьях более вероятно насилие над детьми. Предвзятость и несправедливость разрушают доверие между людьми и системами ИИ; вместо того чтобы быть великим уравнителем, как ожидалось поначалу, ИИ не лучше человека умеет занимать нейтральную позицию для принятия судьбоносных решений. А если так, то почему общество должно считать машины более «справедливой» заменой банкирам, рекрутерам, полиции или судьям?

Автоматизированная система распознавания фотографий. Сервис, разработанный компанией Google, который использует ИИ для автоматического определения лиц и других объектов на изображении и помечает каждый элемент ключевыми словами.

COMPAS. Коммерческое программное обеспечение на базе ИИ, разработанное компанией Northpointe Inc., оценивает вероятность совершения повторного преступления конкретным человеком.

в

3 НИЗКИЙ РИСК 3 НИЗКИЙ РИСК 3 НИЗКИЙ РИСК

6 СРЕДНИЙ РИСК 8 ВЫСОКИЙ РИСК 10 ВЫСОКИЙ РИСК

Обычно причина предвзятости — не холодная, безжалостная статистика, которую используют обучаемые алгоритмы. Напротив, ИИ часто подхватывает предубеждения, которые заложены в данные для обучения — данные, которые накапливает общество. Другими словами, алгоритмы отражают предубеждения своих создателей, а иногда даже углубляют уже существующие предубеждения, преподнося их как реальные факты. Так называемый пузырь фильтров иллюстрирует это явление: именно новостные алгоритмы Facebook, которые показывают прежде всего виральные посты вне зависимости от их соответствия фактам, во многом сформировали взгляды общества на социальные взаимодействия и основные события. Система ИИ Facebook способствовала росту напряжения в обществе и еще сильнее поляризовала политическую ситуацию, постоянно порождая столько возмущения, что Марк Цукерберг планирует коренным образом изменить алгоритм, чтобы достичь «более глубокого и содержательного взаимодействия».

Именно применение алгоритмов ИИ для воздействия на уязвимые группы избирателей позволило компании Cambridge Analytica повлиять на президентские выборы в США 2016 года и выход Великобритании из ЕС, что дестабилизировало демократические механизмы и повлияло на ход истории. Кроме того, алгоритмы собирают и анализируют всё больше данных о вкусах

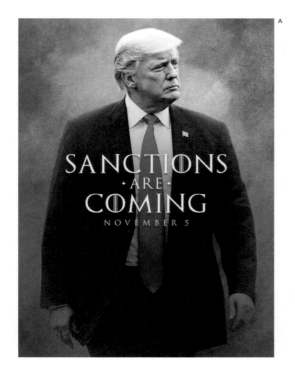

A

Пузырь фильтров. Состояние интеллектуальной изоляции, вызванное тем, что онлайн-платформы прогнозируют, что понравится пользователю, и поставляют ему персонализированный контент.

Виральный пост. Текст или мультимедийный файл, широко распространившийся в сети через ссылки на сайтах, социальные сети и другие цифровые каналы.

A Президент США Дональд Трамп апроприировал рекламный слоган из сериала «Игра престолов» — «Зима близко», — использовав тот же шрифт, чтобы лично предупредить о намерении ввести санкции для Ирана, и указав дату начала. Он выложил мем в официальный аккаунт в Twitter, и тот мгновенно распространился по интернету, вызвав ответную волну переделанных из него мемов.

B Этот рисунок показывает, как ложная информация может распространяться в интернете ботами (красные точки), помещенными в сообщество людей (синие точки).

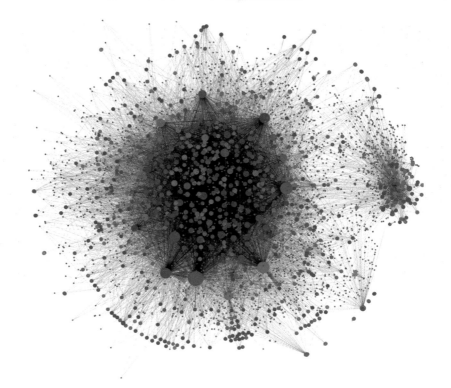

и предпочтениях пользователей, с помощью которых новостные и медиаресурсы могут создавать контент для всё более тщательно отобранных социальных групп — возможно, вплоть до конкретного человека. Следующая стадия для рекомендательных сервисов и тех, кто их контролирует, — это формирование идей и опыта, которые конкретный человек получает через интернет.

Борьба с предвзятостью и несправедливостью, которые допускает ИИ, будет становиться только напряженнее, поскольку системы глубокого обучения всё больше проникают в общество.

A

На сегодняшний день нет простого способа устранить предвзятость. Некоторые считают, что ключевую роль сыграет полное раскрытие параметров алгоритмов ИИ; другие убеждены, что эта открытость может привести к тому, что заинтересованные стороны будут пытаться обмануть систему. Чтобы помочь ИИ обнаружить и понять противоречия, которые допускает человек при выборе решений, IBM работает над созданием системы, которая в процессе принятия решений исходит из гуманистических ценностей. Суть в том, чтобы создать системы ИИ, обладающие моралью, но этот подход по определению очень сложен, поскольку люди исповедуют самые разные ценности, а морали трудно дать четкое определение. Существует популярная идея — привлечь широкий круг пользователей для составления свода моральных принципов. Есть и другое мнение: специально отобранные группы людей с разнообразными профессиональными умениями и социально-экономическим положением принесут гораздо больше пользы для устранения предвзятости непосредственно из самого источника — из данных для обучения ИИ.

В конце 2017 года Глобальная инициатива по этическим соображениям в области искусственного интеллекта и автономных систем Института инженеров электротехники и электроники (IEEE) создала комиссию по «классической этике», чтобы определить неевропейские системы ценностей, такие как буддизм или конфуцианство, с целью еще больше расширить представления о том, что значит этичный ИИ.

Предвзятость — лишь один из возможных видов злоупотребления ИИ в обществе. Еще один подобный пример — это нарушение конфиденциальности.

A Интерфейс системы SenseTime, отслеживающей поведение покупателей в розничном магазине в Пекине. Под наблюдением находятся несколько входов и мест в магазине, программа в реальном времени обновляет данные о числе покупателей, времени, проведенном в каждом конкретном месте магазина, о схемах движения посетителей.

B SenseTime анализирует данные с камер наблюдения, установленных на улицах и в других общественных местах, идентифицируя возраст и пол пешеходов. Система также способна различать внешние признаки транспортных средств: цвет, марку и модель.

Если вас автоматически отметили в компрометирующем посте в Facebook — это сравнительно безобидный пример. Гораздо тревожнее истории, возникающие в недемократических обществах, где правительства охотно используют технологию распознавания лиц, чтобы следить за своими гражданами. SenseTime, крупнейшая китайская компания, занимающаяся ИИ, недавно раскрыла информацию, что системы наблюдения составляют треть их бизнеса. Эта компания создает программное обеспечение, которое в реальном времени автоматически идентифицирует и классифицирует движущиеся объекты в поле обзора камер видеонаблюдения, и предоставляет информацию о каждом человеке: пол, цвет одежды, является ли он ребенком или взрослым. Если данные человека уже хранятся в системе SenseTime, ИИ их также идентифицирует. Чтобы к 2030 году построить индустрию ИИ общей стоимостью 150 миллиардов долларов, правительство Китая уже сейчас тратит огромные суммы, большая часть которых предназначена для укрепления внутренней безопасности.

Глобальная инициатива по этическим соображениям в области искусственного интеллекта и автономных систем Института инженеров электротехники и электроники (IEEE). Инициатива, созданная IEEE, крупнейшей профессиональной технической организацией в мире, с целью обучения и расширения возможностей всех заинтересованных в ИИ сторон, чтобы этические соображения стали приоритетом в разработке интеллектуальных технологий.

B

Все эти примеры — только первые свидетельства того, как далеко может зайти видеонаблюдение с использованием ИИ. В 2014 году Государственный совет Китая обнародовал планы развернуть к 2020 году обязательную систему социального кредита. Эта система отслеживает ежедневную активность граждан и использует эти данные, чтобы определять их благонадёжность — иными словами, приверженность ценностям государства. На основе данных массового наблюдения гражданам присваивается открытый рейтинг, от которого зависит, получат ли они кредит на покупку дома, в какую школу пойдут их дети, будет ли у них право путешествовать или насколько будет ограничена для них скорость интернета. Всё это похоже на программу отслеживания покупательского поведения на Amazon, если бы не жутковатый поворот в духе Оруэлла: вместо создания профиля покупателя, призванного помогать ему совершать удачные покупки, система социального кредита создаст досье, которое будет преследовать граждан всю жизнь. К несчастью, другие страны тоже могут последовать этому примеру.

Когда эта система развернётся в полную силу, до какой степени дойдёт пренебрежение конфиденциальностью и свободой слова?

A

A В Китае около 200 миллионов камер наблюдения. Участие ИИ в наблюдении позволяет построить систему социального кредита, которая ранжирует граждан в соответствии с их поведением, что двигает Китай по направлению к будущему «алгоритмического управления».

B Сотни камер постоянно мониторят Чунцинские особняки в Гонконге, отслеживая общественно опасные и незаконные действия. Тотальное наблюдение практически не оставляет возможности войти или выйти из здания незамеченным.

C Система наблюдения с использованием дронов сочетает глубокое обучение с компьютерным зрением и может распознать насильственные действия в общественных местах по движению конечностей тела человека. Система работает в реальном времени.

B

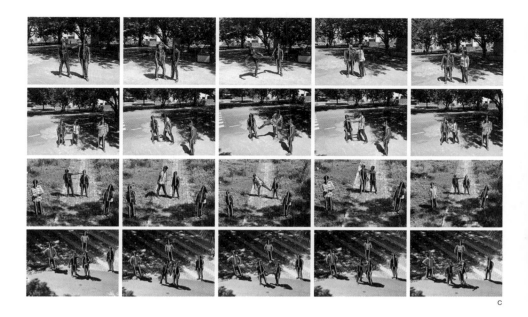

с

Однако использование ИИ для слежки характерно не только для автократических обществ. Недавно в новостях появилось сообщение, что Amazon выпустил сервис для наблюдения, способный распознавать до 100 человек на одном изображении, и полицейские департаменты США уже начали его использовать. Вместе с полицией округа Вашингтон (штат Орегон) Amazon разработал мобильное приложение, которое позволяет правоохранительным органам сканировать изображения и сличать их с окружной базой арестованных, фактически превращая смартфон в устройство слежки. Больше всего тревожит, что всё это произошло незаметно, без особых дискуссий о возможном нарушении прав человека и социальной несправедливости, особенно по отношению к маргинализированным группам населения.

Планы Китая и других стран служат наглядным примером необходимости этичного развития ИИ. Только за два последних года в этом направлении была предпринята масса усилий. Такие организации, как Исследовательская компания OpenAI, Подразделение по вопросам этики и общества в Google DeepMind, технологический промышленный альянс «Партнерство по искусственному интеллекту», Центр этики данных и инноваций в Великобритании и Центр исследования вопросов этики Университета Карнеги-Меллон, призывают специалистов в ходе работы ориентироваться прежде всего на этические принципы. В основе деятельности этих организаций лежит убеждение, что бесконтрольное развитие ИИ может привести к катастрофическим последствиям.

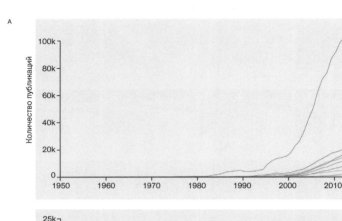

A

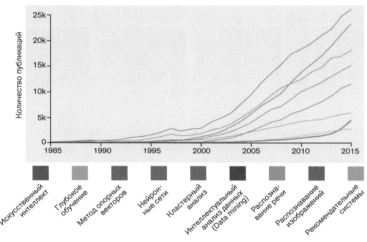

A Эти графики показывают значительный рост скорости и продуктивности научных исследований ИИ. В 2018 году более 2000 исследователей ИИ подписало петицию, призывающую бойкотировать новый авторитетный специализированный журнал с платной подпиской, чтобы сохранить открытость исследований ИИ.

B Испытания парка маленьких автономных роботов-доставщиков, разработанных компанией Starship Technologies. Чтобы получить разрешение на движение роботов по тротуарам без наблюдения человека, этому эстонскому стартапу пришлось поработать с законодательными органами многих штатов.

Искусственный интеллект · Глубокое обучение · Метод опорных векторов · Нейронные сети · Кластерный анализ · Интеллектуальный анализ данных (Data mining) · Распознавание речи · Распознавание изображений · Рекомендательные системы

В 2017 году группа из более чем двух десятков специалистов выпустила отчет о потенциальном злоупотреблении ИИ, которое становится тем опаснее, чем более функциональными и вездесущими становятся технологии. В отчете приведен целый список ужасающих примеров: беспилотный автомобиль со взломанной системой управления может целенаправленно врезаться в толпу людей; его также можно угнать, чтобы доставить взрывчатку к месту взрыва. Вредоносный код, который заражает мозговые имплантаты или кардиостимуляторы на основе ИИ, может быть использован для убийства на расстоянии; преступники могут использовать технологии, подменяющие лицо или голос, для целенаправленного фишинга. Отчет призывает разработчиков ИИ встраивать системы защиты в свои технологии и более открыто обсуждать вопросы потенциальной безопасности и предотвращения злоупотреблений.

Авторы высказали неожиданную мысль, что некоторые свои идеи и сервисы разработчики и вовсе не должны выпускать в свет. Большинство разработчиков придерживается политики открытости, публикует свои исследования в блогах и пишет программы с открытым исходным кодом. В индустрии ИИ популярно мнение, что лучший способ предотвратить злоупотребление — это раскрывать информацию: вместо того чтобы тайно разрабатывать потенциально небезопасные приложения ИИ, есть более удачная стратегия — информировать общество об этих приложениях и во всеуслышание предупреждать о возможности злоупотреблений, прежде чем они произойдут.

Культура открытости ИИ может показаться наивной, но отчасти она стала следствием истории развития этой отрасли. Череда подъемов и спадов сделали из ИИ технологию, чьи перспективы применения и коренного влияния на общество считаются переоцененными. Поэтому многие скептики полагают, что вопросы морали и этики в ИИ неактуальны, поскольку эта технология никогда не достигнет зрелости. В этом есть доля правды: несмотря на недавнюю революцию в автоматизации, алгоритмы машинного обучения — основная причина сегодняшнего подъема в области ИИ — имеют серьезные недостатки, которые проявляются всё чаще. И если не найти решения этих проблем, которое удовлетворило бы инвесторов, в этой области может случиться очередной спад.

В настоящий момент любая отдельно взятая система ИИ демонстрирует в лучшем случае лишь малую толику интеллекта. Небольшие искажения или помехи могут обмануть систему распознавания лиц. Беспилотный автомобиль может неверно оценить ситуацию на дороге, которая прежде никогда не случалась, а редко встречающийся акцент или жаргон поставит в тупик программу перевода. По некоторым оценкам, когда речь идет об умении гибко реагировать на изменение ситуации, самые совершенные нейронные сети менее эффективны, чем ребенок, который только научился ходить. Ребенок может легко распознать собаку, построить простое предложение и сообразить, как использовать iPad. Попросите любой ИИ выполнить эти задачи, и алгоритм — если только его непосредственно не обучали решать все три задачи — не справится.

По словам главы направления ИИ в Google Джона Джаннандреа (сейчас — старший вице-президент департамента машинного обучения и стратегии ИИ компании Apple Inc. — *Примеч. пер.*), опасность ИИ не в том, что роботы приближают апокалипсис, а в том, что они одновременно и предвзятые и тупые, а при этом уже сейчас управляют некоторыми участками общественной жизни.

A Разработанные в Массачусетском технологическом институте (МТИ) алгоритмы для планирования движения помогают разделить летное пространство на зоны, свободные от препятствий. Затем путем соединения этих зон формируется траектория полета автономных дронов, что позволяет им перемещаться беспрепятственно.

B Здесь изображен проект МТИ, в рамках которого была запрограммирована библиотека полетных «воронок»: благодаря ей самолет может осуществлять поиск свободного полетного коридора. Это гарантирует безопасность без необходимости предварительных полетов.

C На этой диаграмме изображен алгоритм под названием «нейронная модульность», который уменьшает «катастрофическое забывание». Он основан на модульных нейронных сетях, которые можно включать или выключать, позволяя сохранять прежние навыки при новом обучении.

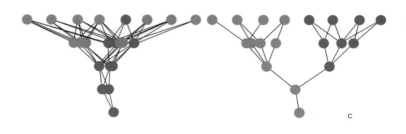

Катастрофическое забывание. Склонность искусственной нейронной сети внезапно терять накопленные знания во время изучения данных для новой задачи.

Низкая модульность   Высокая модульность

Существенную проблему представляет сам способ обучения алгоритмов. В результате обучения глубокая нейронная сеть останавливается на некотором наборе синаптических весов в своих нейронах, который и обеспечивает выдачу нужных результатов. Эти веса оптимизированы под конкретную задачу, на решение которой нацелена нейронная сеть. Стоит немного изменить задачу, и синаптические веса перестают быть оптимальными, что вызывает неверную работу алгоритма. Эта зависимость от специфической конфигурации синаптических весов, подобранной под конкретную задачу, приводит к еще одному ограничению: нейронная сеть не умеет учиться на собственном опыте решения предыдущих задач. Измените задачу, и сети нужно будет начинать с самого начала: текущие синаптические веса сбрасываются, а сеть теряет «память» о прошлом обучении. Результаты получаются настолько скудными, что в сообществе исследователей ИИ этот феномен метко назвали «катастрофическим забыванием».

ИИ, который сможет гибко сочетать и обобщать выученные действия, полностью изменит картину в этой области.

Этот ИИ сможет браться за новые задачи такого уровня, что с ними не справится ни один человек. Обобщение всех приобретенных возможностей закладывает основу для следующего рывка в истории ИИ, о котором научные фантасты мечтали десятилетиями: это создание универсального ИИ общего назначения.

А

Настоящий интеллект нельзя сбить с толку, слегка поменяв условия задачи, — он умеет с этим справляться. Неудивительно, что для реализации следующего технологического рывка прилагаются огромные усилия.

Пример такого усилия — разработанный в Google DeepMind дифференцируемый нейронный компьютер (ДНК), глубокая нейронная сеть, которая имеет систему памяти. Тренируясь на графах со случайно выбранными соединениями вершин, сеть изучает и представленные в данных закономерности, и способы оптимального использования внешней памяти. Поскольку память служит своего рода «хранилищем знаний», нейронная сеть может справиться со сложными, многоступенчатыми задачами. В совокупности это привело к тому, что ДНК способен раскусить непростые задачи, для решения которых необходимо логическое мышление: например, составить план поездки с пересадками по запутанной системе лондонского метро.

В 2017 году исследователи из той же DeepMind выпустили алгоритм под названием Elastic Weight Consolidation (упругое закрепление весов),

в

A/B Чтобы увеличить
      когнитивную гиб-
      кость, компании
      обучают алгорит-
      мы в среде игр-
      стратегий — Dota2
      (A — компания
      OpenAI) и StarCraft
      II (B — DeepMind).
C   Глубокое обуче-
      ние — это одно
      из направлений
      машинного обуче-
      ния, а машинное
      обучение, в свою
      очередь, — одно
      из направлений
      ИИ.

который помогает нейросетям, имитирующим способы хранения навыков в мозге человека, закреплять нейронные связи. Этот новый алгоритм позволяет ИИ учиться проходить игры Atari без ущерба для игр, выученных ранее. Эти примеры — лишь первые шаги на пути решений двух сложных и пока не решенных проблем машинного обучения: как достичь гибкости и в то же время научиться обобщать приобретенные знания.

Еще одна концепция гибкого обучения машин — подражать тому, как учится ребенок. Дайте ребенку, например, хот-дог, и он бессознательно создаст в голове модель хот-дога: цилиндрический кусок мяса в булке. В отличие от ИИ, ребенку не нужно сначала увидеть миллионы примеров, чтобы понять идею. Компания OpenAI пытается воспроизвести этот высокоуровневый процесс извлечения идеи из общего объема знаний.

Elastic Weight Consolidation (упругое закрепление весов). Разработанный DeepMind алгоритм рассчитан на преодоление катастрофического забывания.

Atari. Американская компания, основанная в 1972 году в Саннивейле, Калифорния. Специализируется на создании компьютерных аркадных игр. Atari также известна своими домашними игровыми приставками и компьютерами.

с

Для одной из разработок была создана цифровая игровая площадка, на которой один алгоритм ИИ может переходить от игры к игре, используя уже накопленные знания. Та же команда разработчиков создала несколько роботизированных систем, которые наблюдают, как человек выполняет задачу в виртуальной реальности. Сродни тому, как маленькие дети получают навыки, подражая взрослым, роботы компании OpenAI учатся решать задачу после одной-единственной демонстрации. Исследователи из Нью-Йоркского университета пошли в этом направлении еще дальше и создали любознательный ИИ, который учится задавать интеллектуальные вопросы, воспринимая каждый вопрос как маленькую программу. Эта схема «вопрос-ответ» позволяет алгоритму учиться на небольшом количестве примеров и конструировать собственные вопросы, опираясь на то, что он уже знает. Не так давно Массачусетский технологический институт объявил Intelligence Quest — инициативу в масштабе всего института, цель которой — пересмотреть подход к ИИ и создать систему, которая учится подобно ребенку.

По мнению Джеффри Хинтона, которого часто называют отцом глубокого обучения, эти технологические проблемы — всего лишь «временные сложности».

A Обучение ИИ способности задавать точные и интересные вопросы привело к появлению когнитивных моделей, способных играть в «Морской бой» (на изображении) и аналогичные игры. В ходе обучения ИИ понимает, какие вопросы имеют смысл, и синтезирует новые вопросы для этой конкретной игровой области.

B Эта система мониторинга угроз основана на реакции людей, обусловленной страхом. Она использует машинное обучение, чтобы определять нештатные и опасные ситуации в морской противовоздушной обороне, защите компьютерных сетей и безопасности автономных транспортных средств.

A

B

C Soul Machines Ltd — компания, основанная в Оклендском биоинженерном институте (исследовательский институт Оклендского университета. — *Примеч. пер.*). Работает над интерактивными автономными моделями мозга и лица, чтобы улучшить эмоциональное взаимодействие человека с машинами. Проект BabyX (на изображении) — это психобиологическая модель виртуального малыша, с помощью которой исследователи в реальном времени анализируют поступающие к ней аудиовизуальные данные, чтобы генерировать соответствующую нейробиологическую обратную связь. Система также позволяет визуализировать внутренние процессы через интерфейс, воспроизводящий человеческую анатомию.

Если он прав, то ИИ может быть уготована роль более значительная, чем личный помощник, водитель или диагност. Скорее всего, ИИ может безвозвратно изменить структуру общества и наше в нем место. Если ИИ способен развиваться естественно, самообучаться и даже воспроизводить себя, то почему бы одному ИИ не коммуницировать самостоятельно с другими и не сформировать коллектив из таких же, как он, ИИ.

Именно этические вопросы предстоит решать обществу, когда ИИ достигнет расцвета.

4. Будущее ИИ

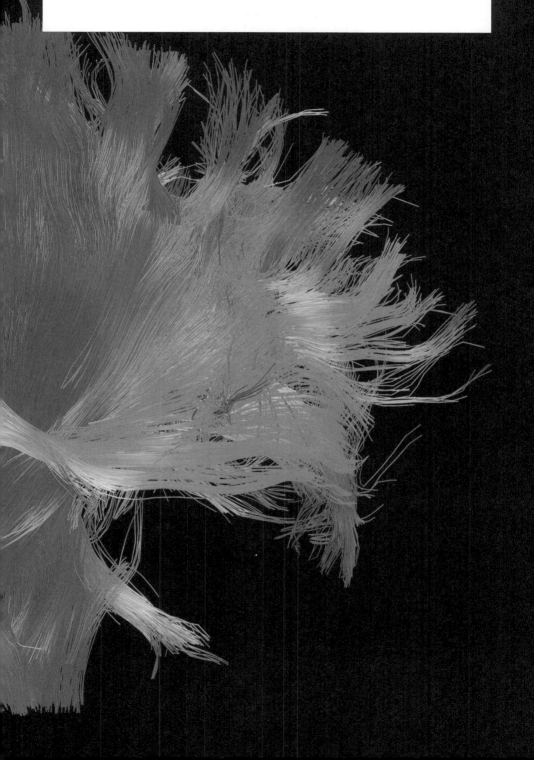

А

В

В 2017 году японская телекоммуникационная корпорация SoftBank открыла три экспериментальных кофейни в Токио. Сама по себе эта новость вряд ли заслуживала бы внимания, если бы не поразительный факт: во всех этих кофейнях вместо официантов работали Пепперы (Peppers) — разработанные в компании роботы-гуманоиды, которые взаимодействуют с людьми, используя естественный язык. У них есть разнонаправленные колеса, пара рук и закрепленный на груди планшет, с помощью которого посетители могут вводить информацию. Роботы узнают лица постоянных посетителей и запоминают, какой кофе те любят. Кроме того, они могут распознавать некоторые эмоции — счастье, грусть, гнев или удивление — и по ним определять общее настроение посетителей.

То, что казалось милым экспериментом, вызвало бурю негодующих откликов в СМИ, объявивших, что мы видим начало «робоапокалипсиса». Авторы статей не так уж заблуждаются: промышленность уже ощущает революционное влияние ИИ, и список профессий, в которых ИИ частично — а иногда и полностью — заменяет человека, постоянно растет.

ГЛАВА 4

C

D

Робоапокалипсис. Термин, описывающий гипотетическое антиутопическое будущее, в котором ИИ заменит людей. Происходит от названия научно-фантастического романа 2011 года «Роботы Апокалипсиса» Дэниэла Уилсона.

Интернет вещей. Термин, описывающий связанные между собой устройства, которые встроены в повседневные гаджеты и бытовую технику — холодильник и другие устройства — и могут обмениваться данными через интернет.

A   Пеппер проводит ритуал буддийских похорон на Международной похоронной выставке в Японии.
B   Робот-гуманоид взаимодействует с покупателями с помощью сенсорных датчиков и интеллектуального программирования.
C   Автоматизированные технологии Пеппера и очки дополненной реальности HoloLens используются, чтобы помогать пассажирам ориентироваться в аэропорту Миядзаки.
D   Чтобы улучшить сервис в аэропорту Гонконга, пассажиров в нем приветствует робот Пеппер.

Поскольку алгоритмы ИИ всё больше проникают в общество, они, скорее всего, возьмут на себя роль личных помощников и туристических агентов. Системы с голосовым управлением — в том числе Siri и Alexa — могут легко объединиться с сервисами рекомендаций в одного цифрового помощника, который досконально понимает потребности человека. В конце 2015 года OpenAI выпустила обучающую онлайн-платформу, чтобы помочь алгоритмам ИИ изучить всё, чего можно достигнуть в цифровом онлайн-мире. В качестве примера компания использовала персонального туристического агента с ИИ. Будущий ИИ-агент может предложить для поездки даты с самыми дешевыми билетами и отели с самым высоким рейтингом, оценив отзывы в разных социальных сетях. Также ИИ может предупредить перед отъездом о прогнозе погоды и самостоятельно настроить автоматические уведомления о вашем отсутствии, исходя из расписания авиарейсов. Более того, ИИ может вести переговоры с местными туристическими агентствами, чтобы забронировать билеты на посещение достопримечательностей, используя естественный язык, и перевести этот диалог для вас.

И это еще не всё: интеграция ИИ с интернетом вещей позволит смартфонам, автомобилям и домашним приложениям легко взаимодействовать между собой. К примеру, «умный холодильник» может прочитать календарь пользователя и отправить сообщение на смартфон, что для ужина нужно купить яйца. Смартфон, в свою очередь, дает указание беспилотному автомобилю запрограммировать по пути домой небольшую остановку у продуктового магазина.

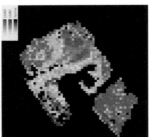

Триаж. Медицинская система, которая определяет порядок оказания врачебной помощи большому числу пациентов в зависимости от степени срочности.

А

Сочетание физического и цифрового мира помогает снять с нас рутинную работу и тем самым улучшить качество жизни.

Здравоохранение тоже готово к надвигающимся переменам. Поскольку диагностические системы с использованием ИИ становятся всё более точными и открытыми, их можно использовать в связке с электронными медицинскими картами и автоматизированной системой триажа, чтобы упорядочить оказание медицинской помощи. Системы ИИ, которые с помощью анализа голоса через звонок в службу скорой помощи диагностируют сердечные приступы или посттравматическое стрессовое расстройство, например, могут помочь тем, кто оказывает первую помощь, правильно подготовиться к работе с пациентом.

Немецкий профессор информатики Себастьян Трун (род. 1967) разработал ИИ, диагностирующий рак кожи, и считает, что его навыки и умения способны дополнить медиков. В отличие от равнодушных машин, радиологи и патологи часто задают много вопросов во время диагностики, чтобы выявить причину заболевания. Если в диагностике будут принимать участие машины, врачи смогут наблюдать за процессом и применять свой опыт и интуицию для оценки результатов, полученных от ИИ. Однако, чтобы облегчить пациенту диагностику, очень важно сохранить непосредственное участие врача в процессе. В обозримом будущем право решающего голоса всё равно останется за врачами; и вопрос сейчас заключается в том, как наилучшим образом внедрить сервисы ИИ во врачебную практику.

Способность ИИ анализировать огромное количество медицинских карт и научной литературы могла бы помочь создать наконец персонализированную медицину для всех. Например, сравнивая экспрессию генов раковых клеток пациента с имеющимися отчетами о случаях заболевания, ИИ мог бы рекомендовать лекарства и дозировку, рассчитанные для этого конкретного пациента, и составить таким образом очень подробный индивидуальный протокол лечения для каждого человека.

A   Разработанный в Нью-Йоркском университете алгоритм (справа) проанализировал препарат легочной ткани, пораженной раком (слева), и определил два отдельных типа рака легких с 97-процентной точностью. ИИ также определил, присутствуют ли в ткани шесть общих аномальных генов, что, в свою очередь, поможет спланировать химиотерапию.

B   Этот инструмент применяет вычислительную визуализацию для определения молекулярного состава кожи на разных уровнях, что позволяет выявить и диагностировать рак кожи за считаные секунды. Канадский медицинский стартап Elucid Labs использует глубокое обучение совместно с глубоким сканированием тканей для определения рака на ранней стадии без использования биопсии.

C   DermLite — устройство для смартфона с мощными линзами и светодиодным освещением, позволяет буквально на ходу определить рак кожи и другие кожные заболевания. Ускоренные процессоры мобильных устройств и более эффективные алгоритмы ИИ всё чаще помогают трансформировать смартфоны в интеллектуальные диагностические инструменты.

B

C

Анализируя с согласия пользователей данные умных носимых устройств, ИИ может помочь выявить эпидемиологические тенденции и определить политику в области здравоохранения.

Чтобы воплотить в жизнь возможности ИИ в медицине, правительства разных стран поощряют исследования и инвестируют в них значительные средства. Недавно премьер-министр Великобритании Тереза Мэй объявила о планах потратить миллионы фунтов стерлингов на развитие алгоритмов ИИ, которые смогут определять рак. Предполагается, что к 2033 году ИИ продиагностирует 50 000 людей на ранних стадиях некоторых видов рака: предстательной железы, яичников, легких и кишечника. Уже одобрив выпуск на рынок систем ИИ для диагностики переломов запястья, болезней глаз и инсультов, Управление по контролю качества пищевых продуктов и лекарственных средств (FDA) США сейчас составляет новые правила для более быстрого сертифицирования оборудования и инструментов на базе ИИ.

A

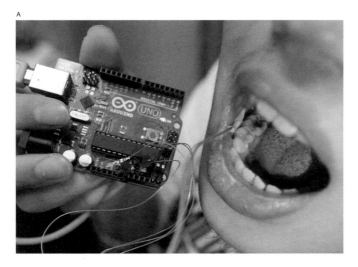

A В 2013 году тайваньскими учеными был разработан «умный зуб» — датчик на основе акселерометра, на основании данных которого специальный алгоритм отслеживает движения челюстей и рта — жевание, курение, глотание или дыхание — с точностью около 94 %.

B В Сингапуре ИИ помогает сократить очереди на паспортный контроль в аэропорту: благодаря улучшенной автоматизированной системе пропуска..

в

Поддержка правительства вкупе с выгодой компаний и научными интересами — это мощная сила для непрерывного и быстрого развития ИИ. Технологическая революция всегда уничтожала рабочие места, так что ИИ, который автоматизирует саму автоматизацию, вне всякого сомнения, повлияет на будущее человечества.

Умное носимое устройство. Электронное устройство — «умные часы», трекер активности и др., — предназначенное для ношения с собой. Эти устройства часто имеют интеллектуальный функционал: например, есть приложения, помогающие людям контролировать состояние организма при диабете или настроить режим приема лекарств.

Всемирный экономический форум. Швейцарская некоммерческая организация, основанная в 1971 году. Формирует глобальную и региональную экономическую и промышленную повестку.

По прогнозам Всемирного экономического форума, опубликованным в начале 2018 года, в следующие 8 лет в США 1,4 миллиона рабочих мест будет упразднено в результате автоматизации. Отчет PricewaterhouseCoopers (второй крупнейшей консалтинговой компании в мире) предполагает, что к 2030 году исчезнет более 40 % рабочих мест. Есть и более тревожные оценки: американская консалтинговая компания McKinsey Global Institute считает, что через 20 лет под угрозой будет почти половина рабочих мест во всем мире.

Эти пугающие прогнозы привели к возобновлению интереса к безусловному базовому доходу. Силиконовая долина полна энтузиазма. Среди руководителей крупнейших корпораций, поддерживающих эту идею, — Илон Маск и Марк Цукерберг. Сэм Альтман (род. 1985), президент Y Combinator, финансирует эксперименты по изучению поведения людей, которые получают деньги без каких-либо условий. С 2019 года Y Combinator будет выдавать по 1000 долларов 1000 человек в течение 3–5 лет, чтобы протестировать эту программу. Кроме того, Европейский парламент выдвинул идею облагать роботов налогом, а собранный подоходный налог предложил использовать для финансирования безусловного базового дохода как способа справедливо распределять материальные блага, произведенные ИИ. Однако существуют и опасения, что если автоматизация не приведет к достаточно быстрому росту благосостояния — что вполне вероятно, — на планете может наступить эра массового сокращения рабочих мест и бедности, то есть так называемая технологическая безработица. И даже если наши базовые расходы будут покрыты, что станет с нашим чувством значимости, когда исчезнет работа и карьера?

Не все согласны с этими мрачными предсказаниями, хотя большинство экспертов признают, что автоматизация — это неизбежное будущее.

A   Корпорация Toyota использует промышленные автоматические манипуляторы, чтобы ежедневно собирать около 1400 автомобилей, сохраняя высочайшее качество, производительность и безопасность производства. Сегодня никого не удивишь участием роботов в крупномасштабном производстве товаров.

B   В 2016 году граждане Швейцарии большинством голосов отказались от введения безусловного базового дохода, несмотря на широкую общественную кампанию. Финляндия, Голландия и Канада разрабатывают пилотные программы, чтобы опробовать идею на небольших группах населения.

A

Есть и противоположное мнение: ИИ снимет с нас рутинную работу, и появление такого количества досуга может ознаменовать наступление величайшего освобождения в истории. В передаче работы машинам нет ничего нового — человечество делает это последние 200 лет экономического развития. Подобно тому, как каждая предыдущая технологическая революция приводила к созданию новых рабочих мест, возникновение систем ИИ позволит людям изобрести новые формы занятости и карьеры.

Безусловный базовый доход. Программа социального обеспечения, которая предполагает предоставление каждому гражданину определенной суммы денег от государства вне зависимости от его дохода и социально-экономического положения.

Y Combinator. Американская компания, предоставляющая первоначальные инвестиции, консультации и связи компаниям-стартапам. В числе успешных примеров деятельности компании — сервис хранения файлов Dropbox и сервис по аренде жилья Airbnb.

Технологическая безработица. Массовая потеря рабочих мест из-за таких технологических достижений, как автоматизация производства. Термин был предложен британским экономистом Джоном Мейнардом Кейнсом в 1930-х годах.

A

По оценкам компании McKinsey от 2017 года, благодаря автоматизации производительность труда будет расти на 0,8—1,4 % ежегодно за счет снижения количества ошибок, совершаемых людьми, повышения качества и скорости работы, и результатов, выходящих за пределы возможностей человека. Сегодня, когда во многих странах количество трудоспособного населения резко сокращается, системы ИИ могли бы компенсировать снижение производительности. В своем отчете McKinsey прогнозирует, что изменения на рынке рабочей силы, связанные с использованием ИИ, будут схожи с теми, что наблюдались в XX веке, когда технические специальности вытеснили сельскохозяйственные.

Савант. Термин, обозначающий человека с синдромом саванта. Такой человек имеет значительные умственные нарушения, одновременно демонстрируя другие способности, намного превышающие средний уровень, чаще всего память или художественные способности.

Свидетельств, подтверждающих, что ИИ коренным образом меняет ситуацию с занятостью, немного: производительность за счет автоматизации существенно не выросла, и ситуация на рынке труда продолжает улучшаться.

В

А Распыление пести-
цидов с помощью
дрона доступно
даже в сельскохо-
зяйственных райо-
нах Китая. Когда
общество нужда-
ется в производ-
стве большего ко-
личества продуктов
с наименьшими
ресурсозатратами,
ИИ способен совер-
шить революцию
в сельском хозяй-
стве.
В В 2016 году компа-
ния Case IH пред-
ставила публике
концепцию перво-
го высокомощного
трактора без каби-
ны, которым фермер
может управлять
удаленно с помо-
щью планшета.
Тракторы и другие
сельскохозяйствен-
ные устройства
на базе ИИ могут
существенно повы-
сить производитель-
ность труда.

Недавний отчет о влиянии роботов на производство и сельское хозяйство на примере
17 стран выявил, что использование роботов
не уменьшает количество рабочих часов человека, а уровень заработной платы при этом
в действительности растет. Одна из причин
заключается в том, что сегодняшний ИИ всё
еще довольно ограничен, поэтому у нас весьма приблизительные представления о том, как
автоматизация может изменить наше будущее. Чтобы системы ИИ радикально заменили
людей на рабочих местах, технологии должны
стать значительно умнее, чем тот савант, которым они сейчас являются. Если проблемы машинного обучения не будут должным образом
решены, ИИ, скорее всего, застрянет в роли
неутомимого стажера, который увлеченно
выполняет конкретные задачи, но требует
присмотра и участия руководителя. До тех пор,
пока ИИ не достигнет уровня человеческой
компетентности, людям придется постоянно
его направлять.

A

И пусть история не дает однозначного ответа на вопрос, поднимется ли когда-нибудь ИИ на уровень человека, значительное число исследователей, философов и футурологов полагает, что универсальный ИИ ждет нас в ближайшем будущем. Идея технологической сингулярности, которую популяризовал Рэй Курцвейл в бестселлере «Сингулярность уже близко: когда люди выйдут за пределы биологии», предсказывает момент, когда ИИ достигнет уровня человеческого разума. Это замечательное достижение, в свою очередь, моментально спровоцирует развитие сверхразумного ИИ, что приведет к изменениям человеческой цивилизации, которые не поддаются нашему пониманию и прогнозированию.

Сторонники теории сингулярности придерживаются разных мнений по поводу последствий такого тектонического сдвига, однако и те и другие считают, что горизонт события уже близок. Не так давно была проведена серия опросов, в которых экспертов, исследующих ИИ, спрашивали, когда, по их мнению, машинный разум сравняется с человеческим, при условии что текущая скорость технического прогресса сохранится. В среднем, по их оценкам, вероятность, что это случится к 2022 году, составляет 10 %, а вероятность, что к 2040 году, — 50 %. К 2075 году это событие рассматривается как почти неизбежное (90-процентная вероятность). Следующий вопрос был о сроке, за который сформируется сверхразумный ИИ после появления универсального интеллекта, и 75 % опрошенных оценили этот срок в 30 лет. Другими словами, есть основания ожидать, что во второй половине этого столетия мы станем свидетелями сингулярности.

Обратите внимание, что ключевое допущение в оценках экспертов — это сохранение существующей скорости развития технологий. До сих пор компьютерные мощности росли в геометрической прогрессии. За последние пять десятилетий производительность компьютерных микросхем значительно выросла — этот феномен впервые заметил сооснователь компании Intel Гордон Мур (род. 1929). До сих пор индустрия микропроцессоров развивалась согласно прогнозу Мура, но сейчас появились признаки, что мы приближаемся к критическому моменту. Специалисты корпорации Intel в 2016 году спрогнозировали, что кремниевые транзисторы продолжат уменьшаться в размерах только в течение следующих пяти лет.

Сверхразумный ИИ. Гипотетически возможный ИИ, превосходящий человеческий разум практически в любой сфере: научное творчество, рассуждения общего характера, интуиция. На сегодня возможность создания систем сверхразумного ИИ — вопрос дискуссионный.

Закон Мура. Возник на основе сделанного Гордоном Муром в 1965 году наблюдения, что с каждым годом в одной интегральной микросхеме будет помещаться в два раза больше транзисторов. В 1975 году Мур скорректировал темп, указав, что количество транзисторов удваивается уже только каждые два года.

Поскольку Intel поставляет серверные процессоры для Google и Microsoft, замедление развития аппаратного оборудования резко сократит возможности для разработки универсального ИИ. Уже замечено, что в последние несколько лет прогресс мировых суперкомпьютеров перестал ускоряться, и это говорит о том, что эти мощные машины уже ощущают на себе постепенный упадок закона Мура.

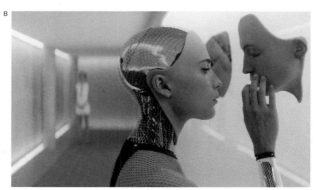

A Работник компании Renesas Electronics на заводе по производству пластин в городе Хитатинака (Япония). Это один из крупнейших мировых производителей микроконтроллеров.

B Кадр из фильма «Из машины» (Ex Machina) 2014 года, реж. Алекс Гарленд, в котором авторы размышляют о машинном сознании. Популяризация глубокого обучения снова стала вызывать дискуссии о том, что представляет собой мышление и сознание машин.

Это неизбежное препятствие на пути прогресса стало причиной повышенного интереса, поскольку подразумевает пересмотр всей архитектуры компьютерных микросхем.

Современные кремниевые процессоры (CPU и GPU) не оптимизированы для работы алгоритмов глубокого обучения. В последнее время производители работают над созданием нейроморфных процессоров. Эти процессоры обрабатывают данные с помощью электронных элементов, которые имитируют нейроны и синапсы человеческого мозга, образуя, по сути, искусственную нейронную сеть в аппаратной форме.

A

A   Нейроморфный процессор Loihi компании Intel использует асинхронный импульсный вычислительный механизм, созданный по образцу человеческого мозга. Он учится, используя обратную связь от окружающей среды. Этот процессор обучается приблизительно в миллион раз быстрее и в тысячу раз эффективнее, чем современное аппаратное обеспечение, решающее аналогичные задачи.

B   В конце 2017 года Intel представила публике Nervana — нейросетевой процессор, который обещает более высокую производительность и масштабируемость для алгоритмов ИИ. Аппаратное оборудование для ИИ имеет специальную архитектуру, специально спроектированную для задач глубокого обучения, что помогает повысить энергоэффективность в сравнении с графическими процессорами (GPU) — на сегодня самым популярным оборудованием для ИИ.

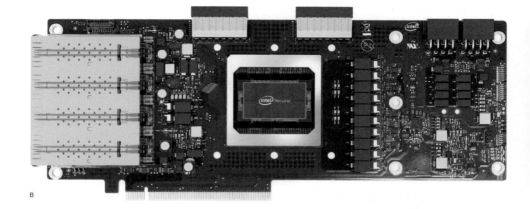

в

Центральный процессор (CPU). Ключевой элемент компьютера, который обрабатывает данные во время работы компьютерных программ.

Графический процессор (GPU). Специализированная электронная микросхема для обработки изображений. Может обрабатывать несколько блоков данных одновременно, тем самым сокращая время вычисления.

Материал с фазовым переходом. Материал, который может переходить из одного состояния в другое (твердое, жидкое и т. д.) под воздействием окружающей среды, например из-за изменения температуры.

Нейроморфный процессор обычно состоит из множества вычислительных ядер маленького размера. Как и биологический нейрон, каждое ядро обрабатывает данные, поступающие из разных источников, и объединяет информацию. Если сумма входящих сигналов достигает порогового значения, ядро генерирует выходной сигнал. Этот способ обработки данных принципиально отличается от сегодняшних компьютеров, у которых память и вычислительное устройство отделены друг от друга. У нейроморфных процессоров эти два блока составляют единое целое, что значительно сокращает потребление энергии. В отличие от существующих сейчас CPU, которые выполняют операции последовательно, нейроморфные вычислительные ядра могут образовывать паутинообразные сети, работающие в параллельном режиме.

Компания IBM стала лидером в создании нейроморфных процессоров, когда в 2014 году в рамках программы DARPA SyNAPSE создала «когнитивный процессор» TrueNorth, который имеет структуру, отдаленно напоминающую структуру мозговой ткани. Процессор состоит из 5,4 миллиарда транзисторов и более 4000 нейросинаптических ядер. Несколько лет спустя IBM с успехом использовала материалы с фазовым переходом, чтобы имитировать паттерны срабатывания биологических нейронов.

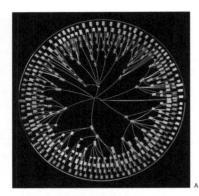
A

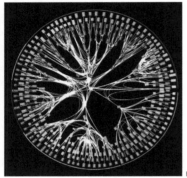
B

Благодаря использованию материалов с фазовым переходом команде разработчиков удалось уменьшить процессор до нанометровых размеров и придать ему способность мгновенно выполнять сложные вычисления, потребляя при этом очень мало энергии.

В 2016 году в Принстонском университете возникла другая идея: полностью отказаться от использования электричества, а для питания нейроморфного процессора с множественными нейронами использовать фотоны. Целый ряд экспериментов показал, что нанофотонный процессор и глубокая искусственная нейронная сеть обучаются схожим образом, только первый делает это гораздо быстрее. На испытаниях по решению математических задач фотонная нейронная сеть продемонстрировала скорость почти в две тысячи раз выше, чем обычные компьютеры.

A/B Эти схемы изображают направление движения белого вещества в мозге макаки. Нейробиологи предпринимают масштабные усилия чтобы до конца понять, как функционирует мозг.
C Этот неоновый клубок, схематически изображающий мозг макаки, использовался для создания нового компьютерного процессора.

Также были разработаны искусственные синапсы с использованием органического материала, который биологически совместим с человеческим мозгом. ENODe — электрохимическое нейроморфное органическое устройство, созданное Стэнфордским университетом и Сандийскими национальными лабораториями, — имитирует вычисления в биологических синапсах. Ожидается, что миниатюрная версия этого чипа сократит

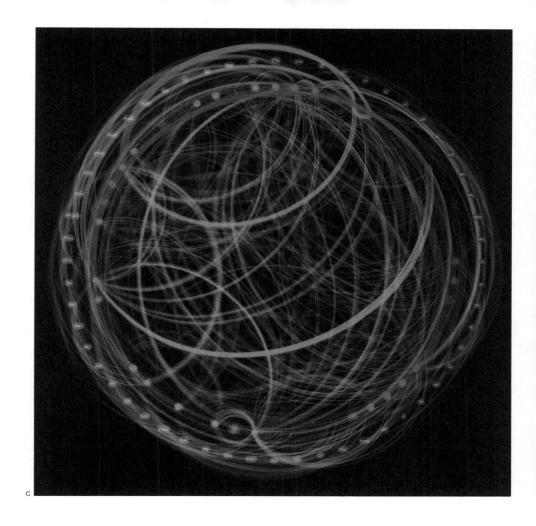

с

потребление энергии в несколько миллионов раз и будет способна напрямую соединяться с живым человеческим мозгом для создания более совершенных нейрокомпьютерных интерфейсов.

Биологический синапс. Соединение между двумя нейронами в мозге, которое позволяет нейронам взаимодействовать друг с другом с помощью электрических или химических сигналов.

Нейрокомпьютерный интерфейс. Система, которая напрямую соединяет ткани мозга с внешним электронным устройством — компьютером или протезом. Переводит электрические сигналы мозга в команды для компьютера и наоборот.

Еще больше поражает возможность восстанавливать или расширять функции человеческого мозга с помощью внешнего или имплантированного электронного чипа.

Экспериментальные образцы нейропротезов уже помогли парализованным пациентам снова начать ходить, а слепым — до некоторой степени восстановить зрение. Как правило, эти системы представляют собой

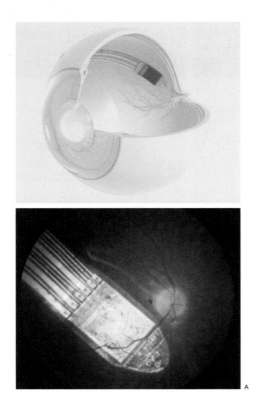

«Нейронное кружево». Сделанный из мелкоячеистой сетки мозговой имплант, который поддерживает беспроводную связь с компьютерами и по сигналу выделяет химические вещества. Гипотетически устройство способно лечить нейродегенеративные нарушения, в том числе болезнь Паркинсона, или соединять протез напрямую с мозгом так, что человек может двигать искусственной частью тела с помощью сигналов мозга.

А

B

A Такие имплантируемые протезы сетчатки, как Alpha AMS (на изображении), создаются для восстановления базового зрения у слепых пациентов. Они часто включают в себя микросхемы и, напрямую стимулируя здоровые участки глаза, передают визуальную информацию с помощью зрительного нерва в мозг.

B Оптогенетика использует свет для контроля над нейронами, генетически модифицированными таким образом, чтобы вызвать экспрессию светочувствительных белков на их мембранах. В зависимости от частоты света меняется уровень активности пораженных двигательных нейронов; этот метод был использован для того, чтобы подавить симптомы болезни Паркинсона у мыши.

комплект вживленных непосредственно в мозг электродов, которые записывают сигналы нейронов и передают их на внешний компьютер, анализирующий эти данные с помощью ИИ. Аналогичная система работает и в обратном направлении — данные об ощущениях, которые испытывает протезное устройство, посылаются обратно в мозг.

Чтобы как можно меньше травмировать мозг хирургическим вживлением электродов, ученые немедленно принялись за разработку более компактных, безопасных и эффективных зондов, которые вводятся непосредственно в мозг для записи электрических сигналов. В 2016 году был разработан Neural Dust — крошечный, почти незаметный глазу беспроводной сенсорный датчик, активируемый при помощи ультразвука. Он устанавливается с минимальным повреждением тканей и стимулирует активность нейронов. Кроме того, для записи и воссоздания нейронных связей были разработаны специальные методики с применением магнитов. В 2017 году Илон Маск основал Neuralink — таинственную компанию, занимающуюся созданием нового вида мозгового импланта под названием Neural Lace («нейронное кружево»).

На текущий момент нет особых оснований полагать, что высшие функции мозга, такие как память или особенности характера могут храниться в имплантированной микросхеме, что не мешает ученым стремительно расшифровывать информацию, которая содержится в электрических сигналах мозга. И решающую роль в этом процессе сыграло внедрение технологий ИИ. В наши дни уже существуют технологии, которые могут приблизительно расшифровывать содержание снов или реконструировать лицо, основываясь на считывании активности мозга.

Еще удивительнее оказались результаты эксперимента на небольшой группе испытуемых: выяснилось, что сигналы нейронной сети, связанные с обучением какой-либо задаче, можно записать на компьютер, проанализировать ИИ и послать обратно в мозг через вживленные электроды. Возбуждая таким образом нейроны с помощью собственного электрического кода мозга, исследователи смогли поднять эффективность обучения у испытуемых. Пожалуй, не стоит особого труда нарисовать картину будущего, в котором некоторые наши мысли будут автоматически передаваться в компьютер, пусть и с одним обязательным неприятным условием — операцией на мозге.

A Армия особенно заинтересована в неинвазивных нейрокомпьютерных интерфейсах для обучения военных. Были разработаны продвинутые алгоритмы для анализа активности мозга, которые позволяют осуществлять тонкое управление, основываясь исключительно на волнах, излучаемых мозгом.

B Доступные через сервис Google Cloud комплексы тензорных процессоров (TPU) — это высокопроизводительное оборудование, на котором исследователи могут создавать новые модели машинного обучения, зачастую требующие колоссальных вычислительных мощностей как на стадии обучения, так и на стадии выполнения.

A

Так или иначе, развитие процессоров, совместимых с мозговой деятельностью человека, скорее всего, приведет к появлению новых знаний об обработке данных, которая происходит в мозге. Эти знания затем могут быть применены для создания компьютерных процессоров, предназначенных для глубокого обучения, которое само по себе приблизительно повторяет схему нейровычислений в мозгу.

На сегодня большинство нейроморфных процессоров — это всё еще экспериментальные образцы. Поскольку многие из них сделаны из материалов со специфическими условиями использования (например, из материалов, которые нужно хранить в жидком азоте) и дорогих в производстве, станут ли они использоваться для решения задач в реальном мире за пределами лабораторий, пока неясно. Как бы то ни было, интерес к этим процессорам высок, и некоторые успехи в их разработке случаются, судя по всему, каждые несколько месяцев. Помимо нейроморфных вычислений, крупные производители, в том числе ARM и Nvidia, также двигаются в направлении создания процессоров, поддерживающих машинное обучение. Такие компании, как Google, разрабатывают свои собственные решения: тензорный процессор Google, например, работает в 30 раз быстрее и в 80 раз более энергоэффективен при решении задач машинного обучения, чем центральный процессор от Intel.

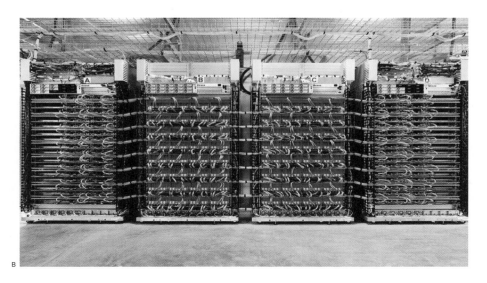

в

A

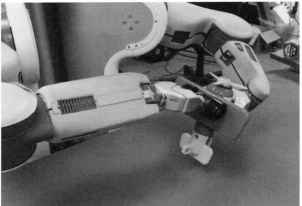

B

**Вычислительная нейро-
биология.** Область ней-
робиологии, которая ис-
пользует математические
и статистические модели
для изучения нейронных
связей в мозге. Также ис-
пользуется термин «теоре-
тическая нейробиология».

A Робот Baxter компании
Rethink Robotics — это на-
дежное, гибкое и стандар-
тизированное аппаратное
оборудование, которое
предприниматели и ученые
могут обучать и использо-
вать для своих нужд.
B Разработанный компа-
нией Willow Garage, робот
PR2 использовался в Ка-
лифорнийском универси-
тете в Беркли для изуче-
ния глубокого обучения
в повседневных задачах,
включая создание про-
стых объектов и складыва-
вание белья.
C Вычислительная нейро-
биология расшифровыва-
ет нейронный код (схемы
электрической активности
нейронов), характерный
для различных видов по-
ведения, например — дви-
жений руками (на изобра-
жении).

Все эти усилия направлены на борьбу с пред-
стоящей стагнацией ИИ, по крайней мере,
в области аппаратного обеспечения. Более
остро на сегодняшний день стоит другой вопрос: скоро ли глубокое обучение, а сейчас
это главный двигатель технологий ИИ, достигнет своих пределов. Возлагать все надежды
на одно направление — значит ограничивать
развитие, поскольку у любой идеи есть свой
набор преимуществ и недостатков.

Как объясняет португальский исследователь Педро Домингос (род. 1965) в своей книге «Верховный алгоритм:
как машинное обучение изменит наш мир» («The Master

Algorithm», 2015), для универсального ИИ более оправданно сочетание разных направлений машинного обучения: глубокого обучения и эволюционных алгоритмов, байесовских методов и манипулирования символами. Такие гибридные подходы, как глубокое обучение с подкреплением, уже показывают большую эффективность, чем каждое из направлений в отдельности. Объединять алгоритмы из разных теоретических областей — это концептуально непросто, тем не менее Домингос утверждает, что именно объединение, а не безоговорочная приверженность исключительно глубокому обучению, например, и есть ключ к созданию универсального ИИ.

Новую пищу для размышлений дают и смежные дисциплины. Например, вычислительная нейробиология может предложить исследователям машинного обучения целый ряд алгоритмов, взятых из мозга человека.

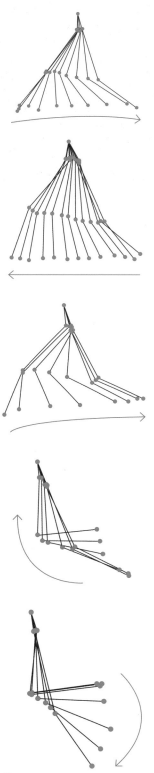

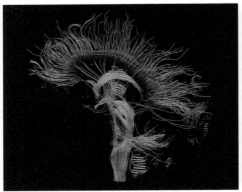

A

Запущенный в 2013 году Европейским союзом проект «Мозг человека» уже привлек 2 миллиарда долларов инвестиций. В проекте сочетаются методы картирования мозга, вычислительной нейробиологии и машинного обучения. Главная цель проекта — целиком воссоздать человеческий мозг и нейронные связи в 3D. Теоретически в результате должна появиться цифровая копия настоящего мозга, обладающая памятью и интеллектом. Затем этот цифровой мозг будет загружен в виртуальную среду, чтобы взаимодействовать с окружающим миром, или же будет использован для функционирования роботов.

Для загрузки сознания не требуется участие ученых: нет необходимости понимать, как работает интеллект, чтобы создать его копию; нужны только технологии картирования мозга, чтобы реконструировать мозг в основных деталях. Тем не менее в настоящее время нет достаточных оснований утверждать, что воссоздание структуры мозга в цифровой среде автоматически поможет создать ИИ сравнимый с человеческим интеллектом. Так как связи в мозгу постоянно изменяются, ученым необходимо понять, как именно эти связи меняются при взаимодействии с окружающей средой. Кроме того, человекоподобный ИИ берет за исходную модель мозг человека, что впоследствии может помешать развитию суперинтеллекта. Такое ограничение — не обязательно недостаток, особенно в глазах тех, кто верит в грядущее нашествие «роботов-убийц», тем не менее оно может стать источником существенных проблем для будущих поколений, которым понадобится развивать технологии ИИ далее.

Загрузка сознания. Гипотетический процесс воссоздания психического состояния конкретного мозга в компьютере. Поскольку в мозге информация хранится в связях между нейронами, ряд ученых полагают, что воспроизведение этих связей в цифровом виде приведет к воссозданию оригинального сознания.

Картирование головного мозга. Набор методик в нейробиологии, детально изучающих анатомию и связи в нервной системе. Распространенный способ исследования: мозг делится на тонкие срезы и помещается под микроскоп, позволяя ученым тщательно исследовать нейронные связи.

Нейронный код. Относится к обработке информации в нейронах, особенно в связи с тем, как электронные сигналы в нейронных группах вызывают определенное поведение и мысли.

A   Проект «Коннектом человека» — это первая крупномасштабная попытка полностью, во всех деталях расшифровать функциональные связи в мозге человека.

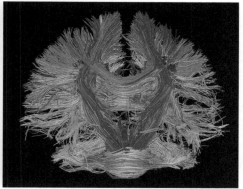

Некоторые исследователи не просто копируют человеческий мозг, но пытаются выявить основные алгоритмы мозга, которые будут обеспечивать работу интеллектуальных машин.

В этом случае основная задача не в воссоздании физических связей, а в имитации функциональных возможностей мозга. Недавно правительство США выделило 100 миллионов долларов на проект MICrONS в рамках инициативы BRAIN. Цель проекта сформулирована четко: произвести переворот в машинном обучении, используя биологические алгоритмы коры головного мозга млекопитающих. Изучая зрительную кору головного мозга млекопитающих, исследователи проекта MICrONS рассчитывают перевести сенсорные вычисления в математические «нейронные коды», которые можно загрузить в компьютер. Таким образом ученые могли бы проникнуть в алгоритмы человеческого мозга, чтобы изобрести более интеллектуальные машины, которые смогут обрабатывать изображения и видео так же хорошо, как это делает человек.

A Будущее ИИ —
такие вот роботы
со всё более тон-
кими и точными
настройками, по-
вышенной обучае-
мостью и подвиж-
ностью. Однако,
чтобы они были
повсеместно при-
няты в обществе,
ученые сначала
должны преодо-
леть так называе-
мый эффект «зло-
вещей долины».

B Робот, сделан-
ный в домаш-
них условиях
изобретателем-
самоучкой Тао
Сянгли, служит
наглядным при-
мером доступно-
сти робототех-
ники. Он может
совершать не-
сложные движе-
ния конечностями
и воспроизводить
голоса людей.

В целом, мощное сочетание нейроморфных чипов, программно-
го обеспечения, работающего аналогично человеческому мозгу,
инновационных алгоритмов машинного обучения и других идей
в конце концов может воплотить в жизнь мечту об универсаль-
ном ИИ, которую человечество пестует уже несколько десятилетий. Как только появится ИИ человеческого уровня, эти
новоиспеченные системы ИИ, в свою очередь, смогут создать
еще более сложные системы, поскольку будут проверять новые
идеи и алгоритмы с недоступной программистам скоростью.

Когда универсальный ИИ будет наконец создан, человечество станет свидетелем технологического взрыва, который положит начало сверхразумному ИИ.

Идея сверхразумного ИИ может вызывать
опасения. Поскольку теоретически эти системы смогут изучать всё, что есть в мире,

в

рано или поздно они могут прийти к выводу, что уничтожение людей — в их интересах. В 2014 году на симпозиуме AeroAstro Илон Маск, как известно, назвал ИИ «самой серьезной угрозой существованию человечества» и заявил о необходимости создания органа, регулирующего ИИ.

Однако не все разделяют эти взгляды. В отчете Стэнфордского университета по проекту «Столетнее исследование искусственного интеллекта» специалисты «не обнаружили причин для беспокойства, что ИИ — это нависшая над человечеством угроза». Маргарет Мартоноси, профессор информатики Принстонского университета, утверждает, что постоянное ожидание опасности — это неверный подход, когда речь идет о технологиях, которые приносят огромное количество социальных благ. В опросе 2014 года на вопрос о долгосрочном влиянии ИИ человеческого уровня на людей примерно 60 % экспертов ответили, что последствия будут либо «чрезвычайно положительными», либо «в общем и целом положительными». Возможная угроза сверхразумного ИИ для человечества широко освещается в медиа, однако исследователи ИИ считают, что это наименее вероятное последствие использования ИИ. Главный же повод для беспокойства — это вытеснение людей с рабочих мест и распространение общественных предрассудков.

А

ИИ гораздо более мощный инструмент, чем любой другой, которым когда-либо пользовалось человечество, тем не менее — это инструмент, призванный служить интересам своих создателей — людей. И, как любой другой инструмент, по своей природе ИИ ни добрый, ни злой. Интеллект не подразумевает наличие мотивации: задачу определяют люди, а сам по себе алгоритм воли не имеет, если только она не была запрограммирована специально. Даже если в будущем люди передадут программирование машинного обучения системам ИИ, всё равно именно за нами останется определение конечной цели ИИ: способствовать развитию человечества. ИИ, запрограммированный готовить ужин, может сочетать блюда из разных кухонь мира; он даже сможет обобщить свои знания, чтобы придумать новые рецепты, но он не «решит» внезапно убить своего

хозяина или поджечь дом. Алгоритмы обучаются на наборе данных, и, если только какой-
то злонамеренный программист не решит
включить в эти данные убийство и поджог
в качестве реальных целей, они никогда
не попадут в список навыков ИИ.

Универсальный ИИ (и даже сверхразумный ИИ) — это
не всезнающая, всемогущая сущность. Как и любым
другим интеллектуальным разработкам, универсальному
ИИ нужны различные конфигурации знаний и навыков,
подобранные в соответствии с задачей, которую он пытается решить. Алгоритму, занимающемуся поиском взаимодействия генов, которое приводит к возникновению
рака, не нужна способность распознавать лица; алгоритму, которому поставили задачу определить десяток лиц
в толпе, нет необходимости знать хоть что-нибудь о взаимодействии генов. Универсальный ИИ подразумевает,
что один алгоритм может выполнять разные задачи,
но это не значит, что он сможет делать всё одновременно.

A   Компания Moley Robotics
    сконструировала первую
    в мире роботизирован-
    ную кухню, встроив полно-
    функционального робота-
    манипулятора в качестве
    су-шефа. Эта система
    пользовалась популяр-
    ностью на Ганноверской
    промышленной выставке-
    ярмарке. Версия робота
    для покупателей будет
    включать библиотеку ку-
    линарных рецептов.
B   Кадры из выдающегося
    научно-фантастического
    фильма «Космическая
    одиссея 2001 года» (1968)
    Стэнли Кубрика, в котором
    широкой публике была
    представлена идея раз-
    умного ИИ. Компьютер-
    убийца HAL 9000 был
    в итоге деактивирован,
    однако успел спровоци-
    ровать научные дискуссии
    об этике и безопасности
    в разработке ИИ.

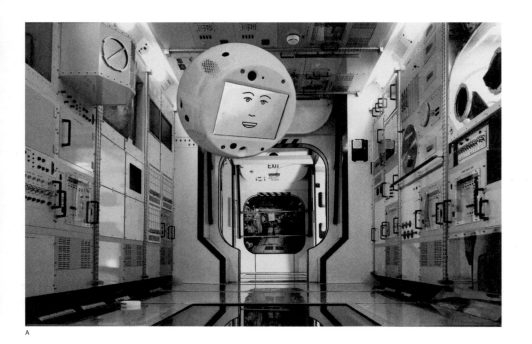

A

Другой повод для всеобщего беспокойства — ситуация из пресловутого сюжета с джинном, выполняющим три желания, когда люди по недомыслию попросят ИИ сделать что-то, что приведет к их гибели. Однако и Педро Домингос, и когнитивный психолог Стивен Пинкер (род. 1954) отвечают, что этот аргумент не имеет смысла, поскольку он основан на предпосылке, что люди добровольно запрограммируют в ИИ мотивацию и тем самым передадут ему контроль над ситуацией, заранее не удостоверившись, что всё работает как задумывалось. Даже если для решения (или нерешения) сложных задач универсальному ИИ может потребоваться экспоненциальное время, любые решения всегда можно эффективно проверить перед запуском алгоритма.

A Разработанная компанией Airbus система помощи космонавтам CIMON — это автономное мобильное устройство, созданное для помощи космонавтам на Международной космической станции (МКС). Система спроектирована в виде летающего «мозга», взаимодействующего с космонавтами, при помощи мимики в процессе выполнения повседневных задач.

B В июле 2018 года компания SpaceX доставила CIMON на МКС. Предполагается, что эксперименты выявят преимущества и недостатки ИИ в изолированной среде с высокими нагрузками. Космонавт Александр Герст будет работать с CIMON над тремя задачами: проведение медицинских процедур, опыты с кристаллами и сборка кубика Рубика.

Пока люди не внесли в алгоритмы ИИ функции наличия «желаний» или «воли», даже сверхразумные системы ИИ будут работать на нас. Или, что еще важнее, — вместе с нами.

в

В отчете 2017 года о влиянии ИИ на рынок труда в будущем компания McKinsey спрогнозировала подъем производительности труда, но при условии, что люди будут работать вместе с машинами в новую эпоху тесного сотрудничества. Сегодня компании, в том числе IBM и Microsoft, ищут способы помочь людям и ИИ взаимодействовать гармонично и эффективно. В Microsoft полагают, что вместо воссоздания человеческого интеллекта компании, разрабатывающие ИИ, должны помочь преодолеть наши интеллектуальные несовершенства. Например, универсальный ИИ в качестве личного помощника мог бы помочь нам справиться с забывчивостью или со склонностью постоянно отвлекаться. ИИ не займет наше место, скорее он поможет снять с нас рутинную умственную работу, подобно тому, как уже сегодня мы храним в смартфонах напоминания и заметки. Вместо вытеснения человека ИИ мы должны стремиться к общему будущему, где люди и технологии работают вместе, эффективно дополняя друг друга.

«Множественность», как называет это явление исследователь робототехники Кен Голдберг, предполагает будущее, в котором человек близко взаимодействует с машиной. Мы уже живем в нем. Каждый раз, когда вы просите Google Maps построить маршрут до нужной точки, вы в определенном смысле взаимодействуете с алгоритмом. Работа налоговых бухгалтеров стала бесконечно проще с помощью интеллектуальных программ, а переводчики пережили небывалый скачок производительности своего труда с выходом обновленного Google Translate в 2016 году. Сотрудничество робота и человека ежедневно можно видеть в центрах хранения и обработки заказов компании Amazon, где 100 000 роботов автономно развозят товары упаковщикам: здесь успешно сочетаются эффективность роботов, неутомимо курсирующих по складу, и точность движений человеческих рук.

Даже в такой творческой области, как написание текстов, подготовительный этап сегодня можно доверить системам ИИ. Составитель юридических документов ROSS может написать заготовку текста для последующей доработки юристами. Просматривая тысячи страниц прецедентной практики, эта система способна избавить юриста от приблизительно около четырех дней монотонной работы. Принадлежащая Google организация Digital News Initiative недавно профинансировала создание системы автоматизированного

Digital News Initiative. Принадлежащая Google организация, созданная в 2018 году для борьбы с дезинформацией и поддержки журналистики. Конкретная цель организации — развивать новые инструменты, помогающие журналистам выполнять свою работу.

A Робот-гуманоид работает вместе с людьми на конвейерной линии сборки автоматических сменных дозаторов в Японии. Чтобы восполнить нехватку рабочей силы и стимулировать стагнирующую экономику, Япония вкладывает большие средства в робототехнику и другие виды автоматизации производства.

B Дополнения к системе Google Translate, использующие приложение Word Lens, позволили пользователям переводить текст, просто наводя камеру смартфона на изображение и получая мгновенный перевод на экране. В 2016 году появление нейронного машинного перевода сократило количество ошибок в тексте на 87 %.

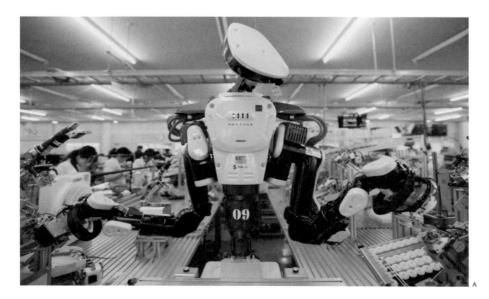

A

в

создания новостей RADAR, которая в поиске сюжетов извлекает информацию из открытых источников. Бот не станет писать подробные репортажи за журналистов, а будет заполнять пробелы в потоке местных новостей, обрабатывая недоступные человеку объемы информации.

Эти примеры говорят о том, что настоящая история автоматизации — это история не потерь, а приобретений: мы живем в эпоху, когда производительность труда благодаря ИИ выросла, и поскольку умные машины становятся всё более сложными, то и наше взаимодействие с ними тоже должно меняться, но каким именно образом — мы пока и сами не можем представить.

С развитием автоматизации ИИ будет отнимать всё больше рабочих мест, и существует опасение, что этот переход может произойти внезапно и застигнуть нас врасплох. Однако мы уже уступаем наши рабочие места машинам, и необходимо как можно скорее планировать — а возможно, и уже предпринимать — наши следующие шаги в мире, возможности которого расширяет ИИ.

Заключение

Долгие годы проклятием ИИ были пустые обещания и шумиха. Но сейчас всё изменилось.

Системы ИИ наконец пришли в наши дома и нашу жизнь, чтобы остаться там навсегда. Революция, которую произвело глубокое обучение за последние шесть лет, привела к тому, что ИИ проникает в жизнь с невиданной ранее скоростью. Благодаря продвинутым нейросетевым технологиям мы стали свидетелями замечательных достижений в компьютерном зрении и обработке естественного языка, что, в свою очередь, сделало возможными автоматическое распознавание лиц в Facebook и появление электронных помощников с голосовым управлением. Сегодня работающий в фоновом режиме личный помощник — это пример наиболее зрелого использования глубокого обучения на уровне среднего потребителя. Действительно, множество людей охотно пользуются поисковой системой Google и рекомендаторами Netflix и Amazon, не осознавая, что всё это основано на технологиях ИИ.

Притом что ИИ уже проник в общественную сферу, общество, похоже, еще не до конца осознало его повсеместное присутствие. Причина отчасти заключается в том, что взгляд на ИИ определяли совсем не его разработчики. Классическое клише научной фантастики — «роботы-убийцы», — которое на протяжении долгого времени внедрялось в общественное сознание, намеренно изображает ИИ как смертельную угрозу человечеству. Итоги влияния ИИ на человечество по-прежнему туманны, но акцент именно на его опасности подавляет конструктивные дискуссии о будущем технологии и ведет к двум негативным последствиям.

A

Во-первых, сегодня общество находится в точке принятия решения относительно того, как использовать технологии на базе ИИ во благо человечества. Чрезмерный упор на экзистенциальную угрозу отвлекает внимание от более насущных вопросов, необходимости прилагать усилия для снижения предвзятости алгоритмов. Во-вторых, ложные представления о том, что ИИ может делать, а что нет, могут вызвать противодействие технологиям, которые призваны приносить благо, и затормозить появление новых разработок.

A   Кампания «Остановите роботов-убийц» — это глобальная коалиция неправительственных организаций, стремящаяся добиться заблаговременного запрета на полностью автономное вооружение из-за проблем с безопасностью, а также юридических, технических, этических и нравственных вопросов. У полностью автономного вооружения нет достаточных способностей, чтобы выносить осмысленные суждения и понимать общий контекст. Если робототехническое вооружение будет разработано, оно сможет выбирать и поражать цели без участия человека. Развитие «роботов-убийц» создает проблему защиты гражданского населения, согласования этой деятельности с международной защитой прав человека и гуманитарным правом.

Вместо того чтобы осознать потенциал ИИ в деле преобразования человечества, мы, к сожалению, надеваем оковы на его будущее и, как следствие, на наше тоже.

Мера успеха ИИ — это благо, которое он создает. С распространением беспилотных автомобилей и других приложений ИИ, всё больше людей будет понимать, что роль ИИ в нашем обществе постоянно растет. Следующее десятилетие станет ключевым для формирования восприятия ИИ и взгляда на его место в обществе.

В перспективе именно от нашей готовности внедрять различные приложения ИИ в сфере транспорта, медицины и других областях будет зависеть успех отрасли. И здесь очень важно доверие. Системы ИИ резко (и, возможно, несправедливо) критикуют за ошибки. Аварии с беспилотными автомобилями, например, привлекают больше внимания СМИ, чем с автомобилями под управлением человека, при условии что средний уровень безопасности у первых гораздо выше. Чтобы создать доверительное отношение, необходимы стратегии, которые научат нас лучше понимать ИИ. Кроме того, вовлечение общества в разработку и обсуждение этих технологий помогло бы укрепить в потребителях чувство, что ИИ находится под контролем.

A

B

К примеру, пассажиры беспилотных автомобилей могли бы выкладывать данные своих автомобилей или делиться на форумах информацией об удобстве их использования и возникающих проблемах.

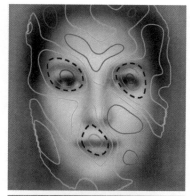

Чтобы укрепить доверие, необходимо прикладывать усилия, направленные против дискриминации разных групп общества.

По мере того как ИИ все глубже проникает в юридическую, финансовую и медицинскую сферы, вопросы его применения и ответственности нужно если не регулировать, то обязательно обсуждать. Как говорилось в предыдущих главах, способность машинного обучения строить прогнозы на основе уже имеющихся данных поднимает щекотливый вопрос об использовании ИИ для оценки возможных кредитных рисков или рисков повторного совершения преступления. Поэтому первоочередная и важнейшая задача — это, бесспорно, исключить возможность влияния таких дискриминирующих факторов, как раса, пол, сексуальная ориентация и социально-экономическое положение при принятии решений ИИ. И здесь, по всей вероятности, необходимо вмешательство правительства, чтобы не дать корпорациям сосредоточить всю ответственность в своих руках. Политика, способствующая справедливому и свободному распространению ИИ в обществе, позволяет свести к минимуму подобные риски.

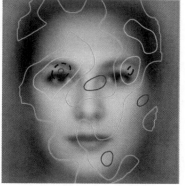

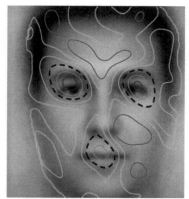

A Lingyun — работающее от электричества футуристическое умное двухколесное транспортное средство, которое проходит испытания в Пекине. Этот автомобиль использует гироскоп для баланса и может помочь разгрузить плотный дорожный трафик.

B В 2018 году авария с автомобилем Tesla Model S, находящимся в режиме автопилота, вновь вызвала дискуссии о безопасности беспилотных автомобилей

C Исследование Монреальского университета показало, что выделения цветом и высветления области бровей и рта достаточно, чтобы моментально определить пол человека по фотографии.

C

A

ИИ обладает таким мощным преобразовательным потенциалом, что для контроля над ним могут потребоваться новые законы и способы регуляции. Около 30 лет назад, когда появился интернет, никто не мог предсказать такие негативные последствия для личности и общества, как вторжение в частную жизнь, зависимость от социальных сетей и наплыв фейковых новостей. Так и сейчас: мы не можем представить все возможности и угрозы, которые принесет нам ИИ.

Обладают ли сегодняшние политические институты достаточными знаниями и авторитетом, чтобы регулировать работу крупных корпораций, занимающихся ИИ? Как контролирующие организации смогут оценить возможные угрозы для общества, если разработчики не поделятся с ними результатами своих исследований? В будущем лучшим способом регуляции в этой области могут стать правовые предписания и регламенты, побуждающие разработчиков ИИ рассматривать защиту потребителей как свою ответственность. Необходимы стандарты, которые подкрепляют идею этичного использования ИИ — другими словами, обеспечивают конфиденциальность, безопасность и справедливость. Возможно, потребуются поправки к законам об охране интеллектуальной собственности, чтобы компании охотнее разрабатывали новые сервисы ИИ. Необходимо создать стандарты для появления прозрачной среды, для обмена технологиями между отраслями, для обеспечения взаимодействия между компаниями-разработчиками ИИ, обществом и законодательными органами. По мере того как ИИ продолжает эволюционировать и проникать в общество, законы и регулирующие нормы придется пересматривать.

В течение следующих двух десятилетий мы увидим значительные перемены в транспортной сфере, образовании, на рынке труда, в индустрии развлечений и в общественной безопасности. По мере того как алгоритмы ИИ преодолевают свои границы и движутся к универсальному ИИ общего назначения, их влияние на общество будет становиться всё более заметным.

A No Man's Sky — это игровой приключенческий боевик, в котором игроки исследуют открытый космос. Он изображает Вселенную, целиком созданную алгоритмами ИИ, с более чем 18 триллионов неповторяющихся звезд и планет, каждую из которых можно обследовать.

B На рисунке изображено, как роботы поделили хэштеги, использовавшиеся во время президентских выборов США 2016 года. Точки — это аккаунты в Twitter, а линии — ретвиты сообщений. Красным цветом показаны аккаунты, которые предположительно управляются ботами, синим — аккаунты, которые предположительно ведутся реальными пользователями.

Заменит ли нас ИИ? Ответ во многом зависит от нашего подхода к этим технологиям.

Если мы будем смотреть на ИИ с подозрением и тревогой, мы можем загнать связанные с ним исследования в подполье и загубить важную работу, которая обеспечивает безопасность и надежность систем ИИ.

B

#ImWithHer   #MakeAmericaGreatAgain

А

Если мы позволим ИИ развиваться
без оглядки на этику и равный доступ
для всех, мы можем подтолкнуть общество к созданию еще более нетерпимого
и несправедливого мира. Если мы будем
считать, что ИИ отнимет у нас рабочие
места, то вместо размышлений о том, как
он может дополнить нашу жизнь и работу,
мы увязнем в экзистенциальном кризисе.

Если же мы будем открыты новому и позволим системам ИИ развиваться под наблюдением ученых, контро-
лирующих органов, социологов, а также пользователей,
нас может ждать совершенно другое будущее. Откры-
тые дискуссии о морали, этике и конфиденциальности
помогут предотвратить опасность злоупотребления ИИ.
Обсуждение таких философских вопросов, как спра-
ведливое распределение благ, созданных машинами,
и смысл полноценной, созидательной жизни, помогут
нам оказаться в мире, где большинство рабочих мест
передано системам ИИ.

В

A/B
После крупнейшего обновления в 2017 году на сервисе Google Earth появились трехмерные карты и экскурсии, у пользователей появилась возможность увидеть Океанографический парк Валенсии (изображение A), Венецию (изображение B) и другие места прямо из дома.

Осведомленность о возможных угрозах, которые может создать сверхразумный ИИ, заставляют разработчиков тщательно исследовать безопасность ИИ и сразу же предотвращать возникновение таких угроз.

Будущее ИИ тесно связано с будущим человечества. Сегодня пока неясно, станет это будущее прекрасной утопией или катастрофой, но именно нам предстоит вести ИИ к положительным результатам.

В обществе, где всё обсуждается открыто и рационально, ИИ не заменит нас. Скорее, он основательно изменит человечество к лучшему.

Литература

Баррат Дж. Последнее изобретение человечества. Искусственный интеллект и конец эры Homo sapiens / пер. с англ. Н. Лисова, А. Никольский. М.: Альпина нон-фикшн, 2015.

Бостром Н. Искусственный интеллект. Этапы. Угрозы. Стратегии. М.: Манн, Иванов и Фербер, 2016.

Бриньолфсон Дж. и Макафи Э. Вторая эра машин / пер. с англ. П. Миронов. М.: АСТ, 2017.

Глик Дж. Информация. История. Теория. Поток / пер. с англ. Д. Тимченко. М.: АСТ, CORPUS, 2016.

Гудфеллоу Ян, Бенджио, Иошуа и Курвилль, Аарон. Глубокое обучение / пер. с англ. А. Слинкин. М.: ДМК Пресс, 2017.

Домингос П. Верховный алгоритм. Как машинное обучение изменит наш мир. М.: Манн, Иванов и Фербер, 2016.

Каку М. Будущее разума / пер. с англ. Н. Лисова. М.: Альпина Диджитал, 2014.

Канеман Д. Думай медленно… решай быстро / школа перевода Баканова. М.: АСТ, 2013.

Картер Р. Как работает мозг / пер. с англ. П. Петров. М.: АСТ, 2014.

Кристиан Б. и Гриффитс Т. Алгоритмы для жизни. Простые способы принимать верные решения / пер. с англ. М. Волохова. М.: Альпина Паблишер, 2017.

Курцвейл Р. Эволюция разума / пер. с англ. Т. Мосолова. М.: Издательство «Э», 2015.

Маркофф Дж. Homo roboticus? Люди и машины в поисках взаимопонимания / пер. с англ. В. Ионов, С. Махарадзе. М.: Альпина нон-фикшн, 2017.

Норвиг П. и Рассел С. Искусственный интеллект. Современный подход / пер. с англ. К. Птицын. М.: Вильямс, 2016.

О'Нил К. Убийственные большие данные. Как математика превратилась в оружие массового поражения / пер. с англ. В. Дегтярев. М.: АСТ, 2018.

Пенроуз Р. Новый ум короля. О компьютерах, мышлении и законах физики / пер. с англ. В. Малышенко. М.: Едиториал УРСС, 2003.

Пинкер С. Как работает мозг / пер. с англ. О. Семина. М.: Кучково поле, 2017.

Рид Т. Рождение машин. Неизвестная история кибернетики / пер. с англ. Е. Васильченко, Е. Кузьмина. М.: Эксмо, 2019.

Росс А. Индустрии будущего / пер. с англ. П. Миронов. М.: АСТ, 2016.

Сегаран Т. Программируем коллективный разум / пер. с англ. А. Слинкин. СПб.: Символ-Плюс, 2008.

Сеунг С. Коннектом. Как мозг делает нас тем, что мы есть / пер. с англ. А. Капанадзе. М.: Лаборатория знаний, 2012.

Сильвер Н. Сигнал и шум. Почему одни прогнозы сбываются, а другие — нет / пер. с англ. П. Миронов. М.: КоЛибри, Азбука-Аттикус, 2015.

Стивенс-Давидовиц С. Все лгут. Поисковики, Big Data и интернет знают о вас всё / пер. с англ. Л. Степанова. М.: Эксмо, 2018.

Тегмарк М. Жизнь 3.0. Быть человеком в эпоху искусственного интеллекта / пер. с англ. Д. Баюк. М.: Corpus, 2019.

Форд М. Роботы наступают. Развитие технологий и будущее без работы / пер. с англ. С. Чернин. М.: Альпина нон-фикшн, 2016.

Хокинс Дж. и Блейксли С. Об интеллекте / пер. с англ. П. Миронов. М.: Вильямс, 2016.

Хофштадтер Д. Гедель, Эшер, Бах: эта бесконечная гирлянда. Самара: Издательский Дом «Бахрах-М», 2001.

Шмидт Э. и Розенберг Дж. Как работает Google / пер. с англ. Д. Барретт. М.: Эксмо, 2015.

Agrawal A., Gans J. and Goldfarb A. Prediction Machines: The Simple Economics of Artificial Intelligence (Massachusetts: Harvard Business Review Press, 2018).

Christian B. The Most Human Human: What Artificial Intelligence Teaches Us About Being Alive (New York: Anchor, 2012).

Dayan P. and Abbott, Laurence F. Theoretical Neuroscience: Computational and Mathematical Modeling of Neural Systems (Massachusetts: MIT Press, 2005).

Dyson G. Turing's Cathedral: The Origins of the Digital Universe (New York: Pantheon, 2012).

Gazzaniga M. The Consciousness Instinct: Unraveling the Mystery of How the Brain Makes the Mind (New York: Farrar, Straus and Giroux, 2018).

Jasanoff S. The Ethics of Invention (New York: WW Norton & Company, 2016).

Juma C. Innovation and Its Enemies: Why People Resist New Technologies (Oxford: OUP, 2016).

Lee Kai-Fu. AI Superpowers: China, Silicon Valley and the New World Order (Massachusetts: Houghton Mifflin, 2018).

Levy S. In the Plex: How Google Thinks, Works, and Shapes Our Lives (New York: Simon & Schuster, 2011).

Markoff J. What the Dormouse Said: How the Sixties Counterculture Shaped the Personal Computer Industry (New York: Penguin Books, 2006).

Minsky M. The Emotion Machine: Commonsense Thinking, Artificial Intelligence, and the Future of the Human Mind (New York: Simon & Schuster, 2006).

Nicolelis M. Beyond Boundaries: The New Neuroscience of Connecting Brains with Machines — and How It Will Change Our Lives (London: St Martin's Press, 2012).

Rao Rajesh P.N. Brain-Computer Interfacing: An Introduction (Cambridge: CUP, 2013).

Sejnowski Terrence J. The Deep Learning Revolution (Cambridge: MIT Press, 2018).

Zarkadakis G. In Our Own Image: Savior or Destroyer? The History and Future of Artificial Intelligence (New York: Pegasus Books, 2016).

Источники иллюстраций

Предприняв все усилия, чтобы найти и упомянуть правообладателей фотоматериалов, использованных в этой книге, автор и издатель приносят извинения за любые упущения или ошибки, которые будут по возможности исправлены в следующих изданиях.

в — вверху, н — внизу, ц — в центре, л — слева, п — справа

Филиппо Менчер, Алес-
сандро Фламмини). См.:
Communications of the ACM.
July 2016, Vol. 59. No. 7. P.
96–104. 10.1145 / 2818717.
Обсерватория социальных
медиа (OSoMe) Центра
исследований сложных
сетей и систем (CNetS) при
Университете Индианы

80–81 Reuters / Томас Петер

82в Reuters / Ким Кён-Ун

82н Андреа Пистолези / Getty
Images

83 Глаз в небе. Система наблюдения в реальном времени
с помощью дронов (DSS)
для идентификации лиц
опасного поведения, реали-
зованная с использованием
гибридной сети углублен-
ного обучения ScatterNet,
разработанной Амарджотом
Сингхом, Девендрой Патил
и С.Н. Омкаром

84 Джанлука Мауро /
AI Academy

85 Ханс Льюгас

86 Изображение предоставле-
но Группой изучения
движения роботов Массачу-
сетского технологического
института

88 OpenAI

89в Blizzard Entertainment Inc.

90н Доктора Бренден Лейк,
Тодд Гуреккис и Ансельм
Рот

91 Soul Machines Ltd / Лаборатория анимированных
технологий Оклендского
института биоинженерии
при Оклендском универси-
тете, Новая Зеландия

92–93 Изображение предо-
ставлено Лабораторией нейроимажерии USC, центром

биомедицинской имажерии
Антинулы А. Мартинос
и консорциумом Human
Connectome Project — www.
humanconnectomeproject.org

94л Алессандро ди Чоммо /
NurPhoto via Getty Images

94п Хитоси Ямада / NurPhoto
via Getty Images

95л Kyodo News via Getty
Images

95п Энотони Куон / Bloomberg
via Getty Images

96 Нью-Йоркская школа медицины, Нью-Йорк

97в Университет Ватерлоо,
Онтарио, Канада

97н Джо Рэдл / Getty Images

98 Reuters / Пичи Чуан

99 Reuters / Томас Уайт

100 Йосио Цунода / AFLO /
Press Association Images

101 Магали Жирарден / Epa /
REX / Shutterstock

102 AFP / Getty Images

103 Case IH, CNH Industrial N.V.

104 Кадзухиро Ноги / AFP /
Getty Images

105 AF archive / Alamy Stock
Photo

106–107 Изображение предо-
ставлено Intel Corporation

108–109 Доктор Дхармендра
С. Модха

110 Retina Implant AG

111 Джон Б. Карнетт / Popular
Science via Getty Images

112 Исследовательская лаборатория Вооруженных сил
США

113 Google LLC

114в Rethink Robotics

114н Pieter Abbeel Lab, UC
Berkeley

116л Доктор Томас Шульц

116п, 117л Изображения пре-
доставлены Лабораторией

нейроимажерии USC, цен-
тром биомедицинской има-
жерии Антинулы А. Марти-
нос и консорциумом Human
Connectome Project — www.
humanconnectomeproject.org

118 Алекс Хилинг

119 Reuters / Ким Кён-Ун

120 Moley Robotics

121в AF Archive / Alamy Stock
Photo

121н Moviestore Collection Ltd /
Alamy Stock Photo

122–123 © Airbus SAS 2019; все
права защищены

124 Reuters / Иссей Като

125 Google LLC

126–127 scanrail / 123rf.com

129л Карл Курт / AFP / Getty
Images

129п Изображение предо-
ставлено Stop Killer Robots

130л Джулия Марки /
Bloomberg via Getty Images

130п AP / REX / Shutterstock

131 Николя Дюпюи-Руа /
Университет Монреаля

132 Hello Games

133 Клейтон Э. Дэвис, Центр
исследований сложных
сетей и систем (CNetS) при
Университете Индианы

134–135 Тимоти Э. Клэри /
AFP / Getty Images

Указатель

Люди часто думают, что книги пишутся специалистами,
и обычно это так и есть. Однако мое понимание ИИ сло-
жилось в основном благодаря бесчисленным разговорам
с Андреем Карпатым*, без которого эта книга не увидела бы
свет. Я также глубоко признательна команде издательства
Thames & Hudson: Джейн Лэйнг, Тристану де Лэнси, Бекки Ги
и Фиби Линдсли — за их бесценные советы и большую помощь
в работе. И наконец, Нику — за терпение, поддержку и любовь
в самые сложные минуты.

*Андрей Карпатый — руководитель отдела ИИ компании
Tesla, Inc.

УДК 004.8
ББК 32.813
   Ф98

Данное издание осуществлено в рамках
совместной издательской программы
Ad Marginem и ABCdesign

Шелли Фэн
Заменит ли нас искусственный интеллект?

Перевод — Наталья Рыбалко, Анастасия Суслопарова,
Мастерская литературного перевода Д. Симановского
Редактор — Сергей Марков, Алиса Кузнецова
Корректор — Людмила Самойлова
Выпускающий редактор — Елена Бондал
Адаптация макета — ABCdesign

Фэн, Шелли.
Ш38   Заменит ли нас искусственный интеллект? / Шелли Фэн. —
М. : Ад Маргинем Пресс, ABCdesign, 2019. — 144 с. : ил. —
(The Big Idea).

ISBN 978-5-91103-486-3
ISBN 978-5-4330-0127-5

Published by arrangement with Thames&Hudson Ltd, London
© Will AI Replace Us?
This edition first published in Russia in 2019
by Ad Marginem Press, Moscow
Russian Edition © 2019 Ad Marginem Press
© ООО «Ад Маргинем Пресс», ООО «АВСдизайн», 2019

По вопросам оптовой закупки
книг издательского проекта «А+А»
обращайтесь по телефону:
+7 (499) 763 3227, или пишите:
sales@admarginem.ru

ООО «Ад Маргинем Пресс»
Резидент ЦТИ ФАБРИКА
Переведеновский пер., д. 18,
Москва, 105082
тел.: +7 (499) 763 3595
info@admarginem.ru

ООО «АВСдизайн»,
ул. Малая Дмитровка, д. 24/2
Москва, 127006
тел.: +7 (495) 694 6293
contactme@abcdesign.ru

Printed and bound in Slovenia by
DZS-Grafik d.o.o.